PEDRO SALINAS

JORGE MANRIQUE
O TRADICIÓN Y ORIGINALIDAD

SERIE
MAYOR

19

Pedro Salinas

JORGE MANRIQUE
O TRADICIÓN Y ORIGINALIDAD

SEIX BARRAL

BARCELONA - CARACAS - MÉXICO

Primera edición
en Biblioteca Breve de Bolsillo: abril de 1974
Segunda edición: septiembre de 1981

© 1974: Soledad Salinas
y Jaime Salinas Bonmatí

Derechos exclusivos de edición de bolsillo
reservados para todos los países de habla española:
© 1974 y 1981: Editorial Seix Barral, S. A.
Tambor del Bruc, 10 - Sant Joan Despí (Barcelona)

ISBN: 84 322 3819 8
Depósito legal: B. 23.340 - 1981

Printed in Spain

ÍNDICE

CAPÍTULO I

La tradición de la poesía amorosa

Leer a Jorge Manrique completo, en una edición que recoge entera su breve obra lírica, es una de las venturas más extrañas que aguardan al aficionado a la poesía. Divaga la curiosidad lectora por la primera mitad del libro, ni del todo entretenida ni aburrida del todo, como por uno de esos vergeles conservados en las miniaturas francesas de la época, confinados por un muro, con tableros florales pulcramente divididos y arbustos que las artes cisorias de un académico jardinero ofrendan en el altar de la Geometría, lugares donde la Naturaleza se entrega al curioso juego de huir de sí misma y fingirse otra. Pero de pronto, al entrar por la segunda parte del libro—constituida por un solo poema, las *Coplas a la muerte de su padre*—, se accede a otro ámbito totalmente dispar. Atmósfera de alameda añosísima, ramas que buscan a las ramas fronteras por lo alto, prestando al aire que delimitan una misteriosa solemnidad catedralicia; la vista se siente sosegadamente conducida por este vial—alfombrado todo el año de hojas recién caídas— a una claridad de gloria que se abre, allá en el otro cabo. La parte primera del libro son las poesías de amor de Manrique, la segunda, su poesía de la muerte.

Juntas están en el volumen, juntas anduvieron en el alma de su creador. Entonces, ¿cómo nuestra sensibilidad apreciativa las separa tanto, las distancia y se resiste a tenerlas por criaturas del mismo mundo? Son del mismo autor y nos resistimos a la evidencia. ¿Será incapacidad de comprender el convivir en un ser humano de dos estados anímicos tan desemejantes? ¿Será por una tendencia intelectual a la simplificación? No lo creo. Porque nuestra sensibilidad, en esa su reacción primera, coincide con el juicio de valor. Cuanto más se lean, más claro está que, poéticamente, las

9

unas valen muy poco y la otra está más allá de todo precio.
No reside la explicación, para mí, sino en los raros funcio-
namientos de la tradición poética al operar en el alma de un
poeta. Explicación psicológica, a fin de cuentas, porque toda
explicación de la poesía vuelve, por muchos rodeos que se
den, allí donde el poema nació, al alma. Pero en la que entran,
con gran persuasión aclaratoria, estas funciones, más espe-
cíficas, de la tradición en literatura.

EL DIOS AMOR: CULTO Y SERVIDUMBRE

Jorge Manrique vive en cuanto poeta entre dos tradiciones.
Una, la del amor. Miremos a sus poesías amorosas, todas
ellas pertenecientes a un orbe bien explorado por historiadores y críticos en la poesía medieval.

El Amor es un dios:

> *¡Oh muy alto Dios de amor!,*

invoca el poeta en una poesía en que debate con él, dilata-
damente. "Dios de amor" le llama en otras dos ocasiones.
"Dios de los amadores" en una tercera. Como tal tiene su
religión:

> *porque en esta religión*
> *entiendo siempre durar.*

En ella toma hábito y declara que

> *quiero hacer profesión*
> *jurando de corazón*
> *de nunca la quebrantar.*

Porque así como la religión cristiana tiene sus órdenes re-
gulares, así la tiene este dios, conforme nos lo dice el poeta

al ingresar en la que él llama "orden del amor", acatando los votos debidos. Peligrosa religión, eso no se le oculta:

> *Ese dios alto, sin cuento,*
> *bien sé yo que es el mayor;*
> *mas con mi gran desatiento*
> *le tengo muy descontento*
> *por servir a ti, traidor.*

La conciencia de la oposición entre el Dios verdadero y el Dios traidor, al ser así declarada por el poeta, aunque venga envuelta en gracioso lenguaje, delata ya el conflicto dramático de su poesía. John Crowe Ransom sostiene que el drama es un excelente símbolo de la poesía. El poeta no habla en su nombre, sino en el de un personaje que se da por supuesto. El poeta se pone su máscara, que es el lenguaje poético, y luego se endosa su disfraz, el de la situación que él ha escogido. Y así, dice el crítico, la poesía, más que una experiencia real, es una experiencia dramática.

Como un nuevo modo de exaltar el poder y grandeza del amor, Jorge Manrique, tras haberlo divinizado, lo señorifica, lo proclama *señor,* en el sentido en que en la sociedad medieval se da la relación de señor y súbdito.

> *En la torre de homenaje*
> *está puesto a toda hora*
> *un estandarte*
> *que muestra por vasallaje*
> *el nombre de su señora,*

escribe en "Castillo de Amor". En otro poema habla de "un público vasallaje / y mi fe en pleito homenaje". Hace su juramento, comprometiéndose solemnemente a servir:

> *y fuerte jura*
> *como vasallo hidalgo.*

Desarrollando el tema de esa relación básica de señor a vasallo, el amante ha de servir a su amada, con modos paralelos a los del servicio caballeresco feudal:

> *Acordaos que fui sujeto,*
> *y soy, a vuestra belleza*
>   *con razón;*
> *acordaos que soy secreto,*
> *acordaos de mi firmeza*
>   *y afición.*

Wechssler ha encontrado una felicísima frase para calificar ese *Frauendienst,* ese servicio a las damas: lo denomina "la feudalización del amor". En él se han de usar sin tasa las virtudes de la obediencia, la firmeza, la constancia, la absoluta sumisión. Al enviar un mensajero a su dama, Manrique le dice:

> *Si vieras que te responde*
> *con amenazas de guerra,*
>   *según sé,*
> *dile que te diga dónde*
> *su mandato me destierra,*
>   *que allá iré.*

El concepto de servir, ya sea en forma nominal, ya verbal, menudea en estos poemas. Y hasta parece hacerlo equivalente Manrique, en un verso, con el de amar:

> *por fin de lo que desea*
> *mi servir y mi querer.*

La servidumbre es, por consiguiente, el estado natural del amor. Y, como en todo servicio, el servidor debe estar presto a todo linaje de penalidades, trabajos y sacrificios. De aquí nace una caracterización del estado de amor, no como situación placentera que lleva inmediatamente a la satisfacción de los anhelos y los gustos, sino como un particular modo de ser, que vale por sí mismo, aparte de toda finalidad, que se complace en su propio ser así, amante, y muestra al enamorado como desligado de todo interés logrero material.

La importancia de la fijación literaria de este *estado de amante* es incalculable, y su invención una de las más ricas en consecuencias para la vida afectiva de los hombres y para la historia de la lírica. Porque lo que se crea es la ficción de una situación psicológica donde la inquietud, el desasosiego se estabilizan, y pasan, de excepcionales, a normales. A esto se llega por el camino del servicio: servir con desinterés desemboca en no pedir nada, sino seguir sirviendo, en no alcanzar, sino en continuar aspirando, anhelando: ese estado tiene en sí mismo su mejor premio. "Siempre amar y amor seguir", dice un verso manriqueño que condensa las tres notas, religión, servicio, autofinalidad del amor.

UN PLACER EN QUE HAY DOLOR

Si se proclama que ese estado de servicio amante es una felicidad por sí, se comprenderá sin obstáculo otro rasgo que de él mana; y la aceptación gozosa del sufrimiento que trae consigo. El amor es una agonía, en cuanto lucha y pugna: "pelea", lo llama Manrique unas veces, "contienda" otra. Se lucha con uno mismo:

> en esta fuerte pelea
> que yo conmigo peleo.

Dentro de uno mismo andan desatados

> los fuegos de bien amar.

El amante se compara a un mártir:

> *hecho mártir, padeciendo*
> *los deseos.*

La pasión es

> *una rabia deseosa*
> *que no sabe qué es la cosa*
> *que desea tanto ver.*

Y también

> *es un modo de locura.*

El oficio del enamorado es penar. Y precisamente el entenderlo así, mejor dicho, el vivir conforme a ese entendimiento, es la prueba del amor:

> *el toque para tocar*
> *cuál amor es bien forjado*
> *es sufrir el desamar.*

Se sube poco a poco a esa situación agónica, que por aparente contradicción resulta la más querida, la más placentera para el amante. Digo que la contradicción es sólo aparente porque todos esos infortunios y congojas están sumidos en una realidad superior, de la que nacen: el *estado de amor*, el cual es siempre don precioso para el que lo vive:

> *Es placer en que hay dolores,*
> *dolor en que hay alegría,*
> *un pesar en que hay dulzores,*
> *un esfuerzo en que hay temores,*
> *temor en que hay osadía;*

> un placer en que hay enojos,
> una gloria en que hay pasión...

La quejumbre es constante y de todos los repliegues de esta poesía se desatan lacrimosas corrientes, arroyuelos sentimentales, doloridas lamentaciones, en las que se insiste con delectación, siguiéndolas con un elaborado tratamiento retórico en todas sus vueltas:

> *Acordaos de mis dolores,*
> *acordaos de mis tormentos*
> *que he sentido;*
> *acordaos de los temores*
> *y males y pensamientos*
> *que he sufrido.*

Y más adelante:

> *Acordaos de los enojos*
> *que me habéis hecho pasar*
> *y los gemidos;*
> *acordaos ya de mis ojos,*
> *que de mis males llorar*
> *están perdidos.*

Va tejiendo el poeta un paño en cuya hilaza entrecruza los pesares y las alegrías, pero de tal modo que el efecto total es, extrañamente, que todo ese penar luce como un favor de la suerte, no como una condena. La vida es vivida en un estado de desequilibrio sentimental, equilibrado por la voluntad poética, que lo quiere así, y lo cultiva como tema. Ese virtuosismo de la conversión en valor positivo de lo negativo, del vivir contento por la privación, que definen el estado de servicio amoroso, lleva a estos versos:

Sin Dios, porque en vos adoro;
sin vos, pues no me queréis;
pues sin mí ya está de coro
que vos sois quien me tenéis

. . . .

yo soy el que, por amaros,
estoy, desque os conocí,
sin Dios y sin vos y mí.

Basada esta poesía estilísticamente en la reiteración de la partícula privativa *sin*, podría preguntarse: ¿qué le queda al poeta despojado de Dios, de su dama y de él mismo? Al poeta le queda el quedarse *con* el Amor. Este tener el amor compensa de sobra ese tanto no tener que se nos ha explicado conceptuosamente. Se logra así el estado característico de lo agónico, un vivir voluntario en suspenso, un vivir en vilo, apoyado en el no hallar donde apoyarse, como de pájaro en angustioso, incesante aleteo.

Pero Jorge Manrique declara explícitamente algo que al gusto moderno, apetitoso del placer tangible y la recompensa inmediata, le puede asemejar incomprensible. Y es la razón para preferir ese estado a otro cualquiera lo que esas rabias, esas congojas, encierran en su entraña de deseable:

Cada vez que mi memoria
vuestra beldad representa,
mi pensar se torna gloria,
mis servicios en victoria,
mi morir, vida contenta.

Como lo dice el pueblo: "vale la pena". Esto es el amor, vale todas las penas. Valoración suprema del amor, traducida en la querencia de este estado agónico, como antes la vimos expresada bajo especie religiosa y caballeresca. No necesito decir cuánto hay en esta parte de la poesía manriqueña, en su aceptación del tormento, en su retorcerse sentimental, en su técnica conceptizante, que suena ya con un acento precursor de la poesía mística futura.

LA MUERTE DE JUEGO

Y también se aproxima a ella en otro rasgo: el juego conceptual de vida con muerte, traslación literaria del juego interior, dicha y desdicha, las apuestas, que se unen en la vida total del ser que las alberga y alimenta por voluntad propia, en su encadenamiento superior: por la dicha, las desdichas; por las desdichas, la dicha. Así expresa el poeta su congoja:

> *no me deja ni me mata,*
> *ni me libra ni me suelta,*
> *ni me olvida;*
> *mas de tal guisa me trata,*
> *que la muerte anda revuelta*
> *con mi vida.*

Ese gran concepto, famoso sobre todo gracias a Santa Teresa, es repetidamente acariciado por Manrique:

> *Con mi vida no me hallo*
> *porque estoy ya tan usado*
> *del morir,*
> *que lo sufro, muero y callo*
> *pensando ver acabado*
> *mi vivir;*
> *mi vivir que presto muera,*
> *muera porque viva yo.*

El mismo estado de inestabilidad, de flotar entre un ser y un no ser, que vimos antes, se aplica ahora a la dualidad vida-

muerte. Allí el amor vivía entre el gozo y el duelo. Aquí vive
entre la vida y la muerte. Y, por consiguiente, ni en una
ni en otra, en ese espacio misterioso e inexplorable donde se
halla "cette heure qui est entre le printemps et l'été", de
Paul Claudel:

> *Ni vivir quiere que viva,*
> *ni morir quiere que muera.*

Cansado del trajín incesante, clama por la muerte:

> *pues, Muerte, venid, venid.*

O, en otra:

> *No tardes, Muerte, que muero;*
> *ven porque viva contigo,*

mucho más feliz en su resolución verbal. El bien prometido
se le aparece como

> *una muerte escondida.*

Tan sólo en un caso el morir puede ser una victoria franca,
y es si la muerte se pone como condición para ver a la amada:

> *y si muero porque os vea,*
> *mi victoria será veros.*

En este caso, el concepto, tan graciosamente puesto en palabras, desciende a la categoría de hipérbole galante. Bien visto
queda, de todos modos, cómo la Muerte, que Manrique trae
y lleva tanto por sus poesías amorosas, no se refiere a la
Muerte en su plena dimensión absoluta; es un eufemismo,
con el que se busca otro modo de designar lo opuesto a la

muerte, el amor. Es el antifaz que el amante se pone, y no en busca del morir, sino del vivir amoroso. Muerte ancilaria, servidora de propósito vital, muerte de quita y pon, del todo distinta de la que señorea las *Coplas*. Es la muerte de juego.

ALEGORISMO

Y queda por añadir a este ensayo de caracterización de las poesías amorosas de Manrique otra nota: su uso frecuente de la transcripción alegórica para exteriorizar ciertos estados o procesos del sentimiento amoroso. Su diálogo con el Dios de amor nos pone delante la figura de un Dios juez, que decide sobre la suerte del que comparece ante su poder. Al mismo tiempo, y para dar una cierta verosimilitud realista a ese plano alegórico, se expresa en lenguaje perteneciente al trámite judicial:

> *esa tu sentencia dada*
> *contra mí por ser ausente,*
> *ahora que estoy presente*
> *revócala, pues fue errada;*
> *y dame plazo y traslado*
> *que diga de mi derecho.*

Ya se aludió antes a otra alegorización de la actitud rendida y servidora del amante ante el amor. El enamorado ingresa en una Orden de Amor. Y hace promesa de mantener severamente las reglas:

> *Prometo de mantener*
> *continuamente pobreza.*

En la estrofa siguiente:

> *Prometo más: obediencia*
> *que nunca será quebrada.*

Afírmase en su propósito de inquebrantable fidelidad a las ordenanzas de la orden, hasta la muerte:

> *Fin será de mi vivir*
> *esta regla por mí dicha*
> *y entiéndola así sufrir*
> *que espero en ella morir.*

Para otras dos de sus poesías alegóricas Manrique apela, como campo de traslación de su intimidad sentimental, a la vida guerrera. ¿A qué puede ser comparada su firmeza, una de las reglas, por cierto, que se compromete a observar en la alegoría de la Orden de Amor, mejor que al castillo señero, que a nada ni a nadie se rinde? Su *fortaleza* se entiende en el doble sentido que hoy damos a la palabra: ciudadela y virtud. Manrique desarrolla su alegoría con esa minucia y prolijidad realistas que tanto suelen rebajar el valor poético del arte alegórico medieval:

> *El muro tiene de amor,*
> *las almenas de lealtad*
>
> . . . .
>
> *de una fe firme la puente*
> *levadiza, con cadena*
> *de razón.*

El castillo está abundantemente provisto de bastimentos sentimentales "que son cuidados y males / y dolores, / angustias, fuertes pasiones / y penas muy desiguales". Naturalmente, el enamorado jura en el "Fin" de la poesía como *vasallo hidalgo* no entregar a nadie esa ciudadela. Como sucede tantas veces en la mecánica de los recursos retóricos, esa imagen alegórica del castillo es susceptible de un uso que designe exactamente lo contrario de lo que quería decir en el ejemplo anterior. Son recursos reversibles, que lo mismo se pueden llevar al revés que al derecho. Cosa después de todo naturalísima, ya que su papel es instrumental y serviciario, y lo que importa es que cumplan su menester de decir cabalmente lo que siente el poeta. Y así nos hallamos, junto al "Castillo de Amor", otro poemita: "Escala de Amor". La voluntad del poeta reposa, pero de pronto siente que escalan el muro. Es la beldad de la amada. Nadie le avisa a tiempo. Los ojos fueron traidores,

> *que el atalaya tenían*
> *y nunca dijeron nada.*

Los escaladores toman el castillo en un santiamén:

> *y mi firmeza tomaron*
> *y mi corazón prendieron*
> *y mis sentidos robaron...*

Queda ya para siempre cautivo el descuidado castellano.

Nos parece digno de observar, en abono de la consistencia intelectual del poeta, que éste va a escoger para crear sus mundillos traslaticios unas figuraciones que se corresponden exactamente con aquellas modalidades que toma el sentimiento amoroso en la concepción erótica, que examinamos antes. Si el amor se torna religión, nada más en su punto que apelar a alegorías pertenecientes a lo religioso real, como el juicio de Dios y la orden religiosa. Y si amar es una lucha, una pelea, incesante, no podrían darse más congruentes imágenes que las del castillo y el escalamiento.

Por dondequiera que la miremos, esta poesía amorosa de Manrique, realizada en breves poemas de aspecto a veces ligero, abunda en correspondencias lógicas internas, y tomada en conjunto tiene aires de una construcción intelectual bien diseñada. No son estos poemas, aunque leídos sueltos puedan engañarnos, livianas poesías ocasionales, que vuelan cada una por su lado y nos descarrían la atención por varios caminos divergentes, no.

GINEOLATRÍA Y NORMA

Las poesías eróticas de Manrique, con sus ademanes de graciosa melancolía, con su aire fugitivo y delicado, apuntan todas a un foco central. Existen todas en relación con un principio común, que es una concepción orgánica y coherente de la vida sentimental. La cual a su vez actúa de centro de la actividad vital entera del hombre. En suma, por entre todos esos mariposeos retóricos, así como el que no quiere la cosa, el poeta nos deja ver que está en posesión de una visión propia y definida del mundo: la existencia humana es un servicio del amor, y en ese servicio hallan cumplido campo de acción las virtudes todas del individuo; servir al amor es un camino de perfección, aunque bien doloroso. Desinterés frente a egoísmo, paciencia frente a arrebato, obediencia frente a soberbia, nobleza frente a traición. Es el camino de la superación de las flaquezas, es la vía de la perfección del hombre. Por ese *estado de amante* se va a lo máximo del rendimiento de las nobles potencias humanas. Así lo dice, con orgullosa afirmación, el poeta:

> *Sobró* mi amor en amor*
> *al amor más desigual,*
> *y mi dolor en dolor*
> *al dolor que fue mayor*
> *en el mundo, y más mortal;*
> *y mi firmeza en firmeza*

* sobró: 'superó'

> sobró todas las firmezas,
> y mi tristeza en tristeza,
> por perder una belleza
> que sobró todas bellezas.

Todo, amor y dolor, firmeza y tristeza, está convertido al fin común de empinar al ser humano a lo sumo de su capacidad vital, de distinguirle entre los demás.

¿Entonces? ¿Es que Jorge Manrique habrá sido sentidor tan por lo hondo y meditador tan aguzado que haya elevado él, por su propio esfuerzo y habilidad poéticos, esta curiosísima fábrica donde se poetiza idealmente la vida erótica? La pregunta, claro es, podría tacharse de ociosa. Manrique vive en el siglo XV, en la postrimera Edad Media. Hasta él llega, por vía de herencia, una porción de aquella riquísima hacienda acumulada desde el siglo XII en las tierras de Provenza por unos afanados trajinantes en poesía, los trovadores. Se ha dicho varias veces que el amor es un descubrimiento de la Edad Media, sobre todo el siglo XII francés. Quiere decirse con eso que estos poetas de las cortes, estos trovadores, laborando cada uno por su cuenta, pero poseídos todos por un común afán, al modo de los actuales científicos que desde laboratorios muy apartados se empeñan a una en dar con una nueva revelación de la materia, hallaron este desconocido elemento, de incalculables efectos sobre la humanidad, el nuevo amor. En sus espeluncas fracasaban los alquimistas, y la piedra filosofal, con que soñaban, seguía sin encontrarse; pero estos poetas, que no perseguían ningún secreto de la física, sino del mundo más misterioso que ella oculta, dieron con la fórmula de las más misteriosas transmutaciones de los actos del hombre, la fórmula del amor cortesano. Y en seguida, ciertos grupos de las mejores gentes de entonces aceptan una nueva ordenación de la existencia humana, que ahora va a girar entera en torno al eje diamantino del amor idealizado. "No ha habido ninguna otra época en que el ideal de la cultura temporal haya estado tan íntimamente unido con el amor de la mujer como desde el siglo XIII al XV. Todas las virtudes cristianas y todas las virtudes sociales, el desarrollo entero de las formas de vida, encontrábanse insertas en el marco de un amor fiel, por obra del sistema cortesano. La concepción erótica de la vida puede ponerse en el mismo plano que la escolástica de la misma época. Ambas representan la misma grandiosa aspiración del espíritu medieval: abarcar desde un solo punto de vista todo lo que entre en la vida". Así escribe Huizinga.

Los historiadores de la cultura han podido determinar con relativa precisión el dónde y el cómo nace esta concepción erótica. Es en un centro social característico de la Edad Media, la vida de castillo, en la Provenza. El gran provenzalista Jeanroy cita la visión de una corte de castillo provincial, según la escritora inglesa Mrs. Vernon Lee.

El castillo es un recinto aislado que, en medio de unos campos apenas poblados y casi sin cultivo, se convierte en vivero de lujos y refinamientos del vivir. Lo habitan muchos más hombres que mujeres: tan sólo la castellana y sus damas. Y a su alrededor zumba el enjambre varonil, las categorías de nobles, desde el caballero al paje. El señorío que corresponde en la realidad al dueño del castillo se transfiere simbólicamente a su esposa, a la castellana. (Dígase que, según una opinión, esta transferencia no fue simbólica, sino que se acercó a la realidad cuando los caballeros principales se ausentaron de sus fortalezas rumbo a Jerusalén, como cruzados.) Ella es la fuente manadera de toda "cortesía", esto es, de toda cualidad de *corte,* a la que se tiene por superior a otras cualidades del mundo. En el castillo hasta aquí descrito por Mrs. Vernon Lee, la vida consuetudinaria está sometida a reglas y normas de conducta, todas ellas conducentes a la creación de un estilo de vida encaminado a ensalzar a la dama castellana y a servirla a ella y a sus congéneres. ¿Cómo no van a acudir a este servicio las artes de la poesía y de la música? ¿Hay modo más placentero de tributar admiración a la señora del castillo? Y así nace el tipo del trovador, primero, y luego esta nueva visión de la existencia, el amor cortesano. Allí en el castillo los trovadores rivalizan en sus ofrendas, no sólo a la castellana, sino a sus damas. Porque la superioridad jerárquica, feudal, de la dueña del castillo se transmite, despojada, digámoslo así, de su rango político, de su poder social, a todas las damas cortesanas, por el simple hecho de su feminidad. Los trovadores se reconocen sirvientes de tal o cual señora cortesana, en cada caso, pero por detrás de estas figuras individuales sirven a un ideal de feminidad idealizada, que no reside en mujer alguna en particular y es superior a todas. Así vemos constituirse de modo muy natural ese culto a la mujer, como persona digna de todo amor: una verdadera gineolatría. Porque es tan absorbente esa adoración, está tan apoderada del individuo, que se asimila a la adoración religiosa. "Del mismo modo que el amor de los cristianos hacia Dios va de abajo arriba y está agitado por el temor apoderándose de su ánimo una profunda sumisión y respeto, así sucede al trovador respecto a su dama... El amor trovadoresco se prosterna humildemente ante la orgullosa o clemente doncella, de igual suerte que la Iglesia obligaba al guerrero, al barón, a hincarse de rodillas delante del Crucificado y de su Divina Madre". (Vedel.) Así se entiende esa marcha hacia la conversión de lo femenino y lo erótico en una quintaesencia intelectual, primero, y luego en una convención literaria inexplicable. La mujer, como escribe Cohen, es siempre superior, inaccesible al poeta trovador, condición maravillosa para la belleza y perfección del canto. El secreto de esa poesía está en la desproporción de los estados, en el escalonamiento de los planos. Abajo el que canta y suspira, y arriba aquella apenas entrevista hermosura, de frente velada. Se adelanta día a día por el camino de la sublimación, la divinización de esa mujer que es y que no es, que se escapa, por sus propias perfecciones imposibles en esta tierra, del mundo, y que terminará en la *donna angelicata,* en la amada del Dante. Resulta que una poesía, nacida de un preciso, singular modo de vida, la vida de castillo, obediente en sus rasgos a las condiciones que regían ese vivir, se distancia más y más de lo real y llega a tornarse forma del intelecto, doctrina de existencia, estilización de conductas sentimentales. Del arte amatorio se pasa a las normas para la vida toda. El amor, a fuerza de exigirse a sí mismo virtudes, abnegaciones y esfuerzos, puede mirarse como una escuela de conducta moral. La influencia de la mujer sobre la rudeza de las costumbres medievales se hace, así, incalculable.

RELIGIÓN Y CONVENCIONALISMO RITUAL

Dos elementos, uno llegado de la paganía, otro del Cristianismo, cooperan a esa divinización de lo amoroso. De la Roma pagana, de Ovidio, cuyo *Ars amandi* fue un texto favorito de la Edad Media, se recoge la noción, más o menos seria en Ovidio, del amor como un Dios. Y el culto mariano, la consagración especial del fervor religioso a la figura de la Virgen María, se ofrece como otro parangón deseable a las poesías de los trovadores. De ahí nace toda la vena lírica que toma prestado al lenguaje religioso modismos poéticos y fórmulas de estilo, que llevan en sí todo el altísimo prestigio de su procedencia puramente religiosa. Muy bien se explica que una vez equiparadas la religión verdadera y esta nueva religión del Dios Amor se considere el vocabulario de la Iglesia patrimonio disponible para el uso del culto erótico. Por ese camino se irá muy lejos, a la poesía paródica e irreverente, de la que hay tantas muestras en la Edad Media.

Desde su mismo arranque se formula esta lírica gineolátrica provenzal con la característica religiosa. Pero hay otras que la acaban de definir. Una, la humildad. El amante ha de ser humilde, porque así lo predetermina el tipo de la relación feudal entre el señor y el vasallo. Si la superioridad de la dama es la ley primera de esta ordenación, la actitud del enamorado ha de ser a la fuerza la que nos decía Vedel: absoluta humildad. Otra es la Cortesía: el amor ha de adaptarse a unos modales de tipo casi ritual. Cortesía en este sentido es un ingente código que se va formando por acumulación de licencias y prohibiciones, de actos permisibles y vedados, de vías marcadas por las que debe solamente discurrir la pretensión amorosa. No se puede amar de cualquier manera, a lo villano. El origen aristocrático de esta escuela de lirismo es el que impone esta serie de distinciones y diferencias, que van trabándose unas con otras, y se espesan de tal manera que acaban por formar una red de convenciones donde queda ceñido, enmarcado, el sentimiento individual puro. Así, por ejemplo, a la alta dignidad de amante poético se asciende grado a grado; el primero es el de aspirante (*fegnedor*), el segundo el de rogador (*pregador*), a éste sigue el de cortejo reconocido (*entendedor*) y por fin se llega a la cima, de amante aceptado (*drut*). Porque, y aquí tocamos a lo más extraño de esta concepción del amor, fuese la que fuese la autenticidad del sentimiento erótico en cada caso—y no es posible negar la sinceridad afectiva latente en muchas de estas poesías—, la realidad de la experiencia viva quedaba inmediatamente sometida a ese tratamiento de convencionalización, exigido por el código de la *cortesía*. Y así se da el caso de que la primera escuela de poesía amorosa estiliza de tal suerte el sentimiento a que sirve, que nosotros, formados en una educación realista, y en parte viciados por ella, nos negamos por mucho tiempo a conceder su valor inmenso a esta lírica, por considerarla juego retórico, ejercicio intelectual, pasatiempo métrico. Así podrá ser, pero no puede ahora negarse que, entre tanto jugar, y tanto *fermoso fingiendo*, se iban delineando los rasgos de una figura imponente, el nuevo sentido del amor, llamado a imperar en nuestro mundo por siglos. Convencional es esta poesía. Pero la idea de convención en literatura no deja ya obligadamente una estela de desdén, tras su simple enunciación, como lo querían los críticos realistas, desde que Lowes ha iluminado la función básica de la convención en arte. ¿Es que al mirar al cuadro, dice él, no estamos ya aceptando la convención de ver tres dimensiones en una superficie plana? ¿Es que todo lector no acepta en cuanto empieza a leer un poema la convención esencial de la poesía, el hablar un lenguaje medido y rimado, que prácticamente no tiene razón de ser?

DEL AMOR AL AMOR IMPOSIBLE

Acaso la distintiva más original de la lírica cortesana es la de convertir el estado de enamoramiento, de aspiración erótica hacia una mujer, de lo que era en la antigüedad, esto es, de una etapa hacia el logro de amor, en una situación cerrada y valiosa por sí, independientemente de su final. No hay duda que el origen y el fin del amor es la amada; pero no la posesión de la amada, necesariamente. Las quejas del poseído por el demonio del amor, en la poesía erótica clásica, responden por lo general a la imposibilidad de realizar el deseo; es el grito de la insatisfacción que clama. Pero las lamentaciones trovadorescas saben que por lo general no llevan a nada, es decir, llevan a la composición de una nueva pieza de trovar. ¿Por qué es esto? Porque conforme al nacimiento del amor trovadoresco, ese amor, al menos a los ojos de todos, era de correspondencia imposible, y estaba condenado, de nacimiento, a no pasar de la aspiración. El amor que canta el trovador es, en su raíz, adulterino. La dama cantada es casi siempre la esposa de un encumbrado señor. Amor y matrimonio son incompatibles, y esta incompatibilidad acarrea otra subsidiaria: el autor de poesías amorosas dedicadas a una dama no puede casarse con ella. Esa teoría de la necesidad de la posición adulterina en el amor ha sido explicada, sirviéndose del famoso tratado *De arte honeste amandi*, de Andreas Capellanus, por Lewis. El amor entre los cónyuges es cosa imposible. La razón es muy sencilla. El amor es la recompensa, libremente otorgada por la dama, al que desde abajo la suplica. Y sólo se puede conceder ese galardón en estado de perfecta libertad. Pero el matrimonio establece una relación entre hombre y mujer exactamente contraria, es decir, la mujer pasa a ser la sometida al marido. Y en el acto se derrumba todo el edificio del amor cortesano, ya que la ordenación jerárquica de los dos enamorados queda subvertida por completo, la superioridad de la mujer se trueca en inferioridad; perdida su libertad por el matrimonio, ya no puede dispensar gracias. Esta teoría desarrollada con abundosa copia de argumentación escolástica tiene entre otras significaciones la de hacernos patente la inmensa influencia de la concepción literaria del amor, ya que en nombre de evidencias del reino de lo poético se niega la posibilidad de amor entre marido y mujer. El orden de las cosas queda revesado por el orden convencional erótico. Por consiguiente, la poesía amatoria ha de permanecer en esa situación de suplicar, de adorar, de aspirar a prolongarla todo lo posible, inventarle innumerables variantes porque conforme a la moral no puede pasar de ahí. Otra cosa será la propaganda abierta, en forma metrificada, de la infidelidad, cometida a pasto. La tal situación a fuerza de ser cantada y cantada cobra carta de existencia propia; y ya lo que fue originado en una peculiar forma de vida social, se consagra como una fortísima convención literaria que a nadie sorprende, ni a la dama ni a los rivales. Nada más que a nosotros, los que en materias poéticas llamamos al pan pan y al vino vino, todavía, con orgullo. Tal es la historia de esa nueva actitud del amante, casi gratuito, que representa un desplazamiento enorme del sentimiento realista del amor a su estilización idealizadora.

VALOR DEL LIRISMO PROVENZAL

La poesía cortesana provenzal triunfa, en una u otra forma, en las tierras de la Romania. Asombraba en ella, y no es para menos, el laboreo del idioma realizado por centenares y centenares de trovadores, que se afanan en encontrar sonoridades y primores en el juego de las palabras, que inventan y perfeccionan estrofas, que doblegan las resistencias de la lengua. Un medievalista conocido, Cohen, estima que la técnica poética de los trovadores, en su progresivo vencer dificultades, en su lucha con las resistencias de la materia expresiva, es comparable al arte arquitectónico del que salieron las catedrales góticas. Distintos sus servicios: unas, el de Dios, otras, el de la Dama. Es en realidad empresa de prodigio ésta de acercarse a un idioma sin desbastar, en bruto, y, a fuerza de destreza, de empeño sostenido y de gracia, convertirlo en lenguaje expresivo cantante, bailante, dócil a cualquier refinamiento sentimental para el que se le busque. El que no entienda bien, hoy día, los motivos de triunfo de aquella escuela poética, haría bien en pensar todo lo que representaba en la edad heroica de las lenguas romances, ascendidas de su uso familiar y práctico a los maravillosos empleos de la poesía, el progreso milagroso que para ese empleo supieron dar a la lengua los trovadores provenzales. A ningún aficionado a la poesía se le oculta hoy el porqué del éxito de ciertas escuelas musicalistas o parnasianas de la lírica moderna; en ellas ven un avance de las aptitudes de la lengua para la exteriorización poética de la experiencia humana. La escuela provenzal descolló por su superioridad absoluta en el tratamiento de la lengua con fines poéticos. Y las agilidades verbales, los ritmos sorprendentes de la poesía cortesana actuaron de fijadores, de condensadores, para que entre sus voces gráciles quedase retenida, depositada, la nueva doctrina del amor. Tanto encanto tenía el decir, que lo dicho se iba posando en las sensibilidades hasta cobrar, por acumulación lenta, la consistencia, el carácter orgánico de una concepción poética que afectaba totalmente a la vida del hombre.

ENTRADA EN CASTILLA

1. *El Cancionero de Baena*

Esa tradición llega a la península ibérica, según testimonia la historia literaria, por la lengua gallega. El castellano, en el siglo XIII, en buena parte del XIV, se resiste, en general, a la lírica, y en particular al provenzalismo. El mismo Marqués de Santillana, sabidor profundo de poesía en su tiempo, afirma que hasta muy poco antes cualquier trovador peninsular, ya fuese castellano, andaluz o extremeño, componía en lengua gallega. Pero a mitad del siglo XV un judío de Baena ofrece al rey don Juan una compilación de "cantigas muy dulces e graciosamente sasonadas, de muchas e diversas artes". El *Cancionero* de Juan Alfonso de Baena, aunque contenga poesía de otra especie, significa en buena parte la castellanización de la lírica cortesana provenzal.

Al final de su prólogo declara lo que entiende por poesía, o gaya ciencia: "es una escriptura o composición muy sotil e bien graciosa..." Es un don de Dios, se alcanza por gracia infusa del señor Dios, dice Baena. Pero, ¿a quién le es concedida gracia semejante? "A aquellos que bien e sabia e sotil e derechamente la saben facer e ordenar e componer e limar e escandir e medir por sus pies e pausas e por sus consonantes e sílabas e acentos e por artes sotiles e de muy diversas e singulares nombranzas". Realza Baena insistentemente el carácter *artístico* de la poesía, vista ante todo como hacienda de orden, de buena composición, de cuidados, de medida, de limar primoroso; lo cual se ajusta a las exigencias de la lírica provenzal clásica. ¿Quién podrá entregarse a este arte, de tantos y subidos requisitos? No la "puede aprender ni a ver nin alcanzar nin saber bien nin como debe salvo todo omne que sea de muy altas e sotiles invenciones, e de muy elevada e pura discreción, e de muy sano e derecho juisio, e tal que haya visto e oído e leído muchos diversos libros e escrituras e sepa de todos lenguajes, e aun que haya cursado cortes de Reyes o con grandes señores..." Así nos perfila Baena la imagen del poeta ideal, compendio, como se ve, de perfecciones natas y adquiridas. Lo de la Corte le sitúa además en un círculo social encumbrado. Todo ello traduce la idea del poeta aristocrático, del arte de minoría cortesana, propia de lo provenzal. Pero aún se insiste en la exigencia de pertenecer a una cierta clase, porque poesía de clase es la de Provenza: "e finalmente que sea noble fidalgo e cortés e mesurado e gentil e gracioso e polido e donoso". Le queda por decir, quizá, lo más importante a Baena: "e otro sí que sea amador e que siempre se precie o se finja de ser enamorado, porque es opinión de muchos sabios que todo hombre que sea enamorado, conviene a saber que ame a quien debe e como debe e donde debe, afirman e dicen que el tal de todas buenas doctrinas es dotado". He aquí proclamado el estado de enamoramiento como condición esencial del poeta, si bien Baena, en palabras preciosas para entender esta clase de poesía, no se cuida mucho de que el amor sea sentido o fingido. El judío andaluz autoriza ya en lengua castellana y en el siglo xv la posibilidad de distanciar la experiencia amorosa real de la poesía de amor, y acepta la ficción de amar como fuente de poesía, con el mismo título que el amor sentido verdaderamente. El poeta, más que un enamorado de veras, es un *representante* de la pasión amorosa; que la *represente* bien es lo que vale, ya la sienta de verdad, ya se precie de sentirla, ya la finja. La convención en que estriba toda la poesía provenzal está vuelta en doctrina en las palabras de Baena. La última frase del prólogo recoge una afirmación asimismo típica de la concepción cortesana del amor: esa de que el que bien ama se hace, por ese simple hecho, sujeto de todas las dignidades y excelencias; el amor es la escuela más elevada del hombre.

Creemos que cabe considerar el *Cancionero de Baena,* que sin duda fue esto que hoy se titula "un acontecimiento literario" de su tiempo, como un caso de *estilo retrasado.* Nada nuevo se decía en las poesías de progenie provenzal de esa compilación; lo nuevo era decirlo en castellano. No obstante, debió de producir efectos extensos. Y así en toda la lírica del siglo xv emergen, aquí y allá, vivazmente, las señales de pervivencia de esa concepción poética. Veámoslas, por ejemplo, en dos autores que según coincidencia de varios críticos fueron de los más conocidos de Jorge Manrique.

2. *Santillana*

El servicio de amor, la actitud de rendida sumisión del enamorado a la dama está así dicha en Santillana:

> Pero al fin faced, señora,
> como querades, que yo
> non seré punto nin ora
> sinon vuestro, cuyo só.
> Sin favor o favorido
> me tenedes,
> muerto si tal me queredes
> o guarido.

Nada falta: la entrega total a la voluntad de la dama, el desinterés amoroso, la pertenencia a ella, independientemente de su favor o disfavor, muerto o vivo.

En otra poesía el poeta solicita de la señora que se acuerde de lo que padece por ella:

> Recuérdate de mi vida,
> pues que viste

mi partir e despedida
ser tan triste.
Recuérdate que padezco
e padescí
las penas que non merezco...

Jorge Manrique dirá más tarde, en versos que ya citamos a otro objeto:

Acordaos por Dios, señora,
cuánto ha que comencé
vuestro servicio.

. . . .

Acordaos de los enojos
que me habéis hecho pasar
y los gemidos...

La situación de inestabilidad propia del estado amoroso, a que nos referimos varias veces, figura así en la obra del Marqués:

Deseando ver a vos,
gentil señora,
non he reposo por Dios,
punto ni hora.

Y la localización de esa inestabilidad entre los dos polos de la vida y la muerte aparece de este modo en Santillana:

E viviendo muero e peno,
de la vida soy ajeno
e de muerte non esquivo.

3. *Gómez Manrique*

El parentesco entre don Gómez Manrique y su sobrino don Jorge no fue sólo de sangre, sino de espíritu y vocación poéticos. Todo lo que aprendió don Jorge de su tío no se sabe. Motivo hay de pensar que don Gómez fue su maestro y guía literario. Pero ya, en lo referente a las *Coplas,* la crítica moderna ha reunido varios ejemplos de extraña compenetración de ideas entre los dos poetas. Vamos a apuntar aquí algunas de las formas con que está representada la poesía cortesana en Gómez Manrique. Su "Carta de amores" es casi un compendio de actitudes propias de la *cortesía lírica.*

Se acata por el poeta el mandamiento primero del decálogo de amor cortesano, servir:

> *En tanto que vivo fuere*
> *desto puedes cierta ser,*
> *que te tengo de querer*
> *e servir cuanto pudiere.*

Conforme a la doctrina tradicional tal servicio no se hace en busca de un premio:

> *E no por los galardones,*

sino por pura firmeza:

> *por mi verdad mantener.*

Gran parte de la servidumbre consiste en quejas y llantos que al poeta se le vuelven costumbre:

> *Que me das tantos enojos*
> *e tal dolor e pesar*

> *que el estilo de mis ojos*
> *es nunca jamás cesar*
> *de plañir e de llorar.*

Y, continuando por las mismas etapas de los trovadores, la quejumbre no tiene otra recompensa que el quejarse, puesto que no aguarda compensación alguna. Es la complacencia en sentirse llorar:

> *La mayor consolación*
> *que de mis afanes he*
> *es gemir, mi bien, porque*
> *no ha tenido galardón.*

Cumpliendo al pie de la letra otro mandamiento, el de la constancia, dice:

> *escribo por las paredes*
> *por mote:* Verdad e Fe.

En una poesía llamada "Suplicación" (conviene recordar que uno de los escalones por donde había de subir hasta su dama en el ritual amoroso cortesano era el de *pregador* o suplicante) acata otra de las leyes eróticas, la de obediencia constante:

> *No, señora, desampares*
> *a quien sin duda te quiere,*
> *que tanto mientras viviere*
> *haré lo que tú mandares.*

La ficción de agonismo, de oscilación entre la vida y la muerte por causa de amor, está en otras poesías, mejor que en ninguna, quizás, en la llamada "Trovas de Gómez Manrique a una dama que le preguntaba cómo le iba":

Así que muero viviendo
y vivo siempre penando,
en mi secreto gimiendo
e con lágrimas plañiendo
en público suspirando.

. . . .

¡Oh mal fadado de mí!
porque entonces no morí
por no morir cada día.

4. Otros poetas

Aparte de estos dos poetas, tan estrechamente relacionados con Jorge Manrique, andan por todo el siglo XV síntomas copiosos de la penetración de la doctrina amorosa cortesana. La divinización del amor llega casi a salirse de los límites de la seriedad en un poemilla de don Álvaro de Luna. Sostiene aquí el condestable impiedad no superada por ningún poeta de este *mester de gineolatría*; a saber, que si nuestro Salvador se enamorara de alguien sería precisamente de su dama:

Si Dios nuestro Salvador
oviera de tomar amiga,
fuera mi competidor.

Y hasta llega a imaginarse al Señor quebrando varas y en justas en honor de la susodicha e incógnita dama, lo cual añade gracioso anacronismo a la descomunal impiedad:

Aún se me antoja, Señor,
si esta tema tomaras
que justas e quebrar varas
ficieras por su amor.

"Una vez apoderado este espíritu de los trovadores castellanos", escribe Pedro José Pidal "por las causas indicadas, todos se creyeron autorizados para suponerse enamorados y penando en lo que ellos llamaban *infierno* de amor. Con este título escribió el mismo Sánchez de Badajoz, siguiendo la idea de Guevara, una curiosísima composición en que presenta sufriendo en aquel infierno a treinta y nueve de los más celebrados trovadores de su tiempo; el marqués de Santillana escribió el *Infierno de los enamorados,* y no sólo hubo ya estos infiernos y cárceles de amor, sino *naos de amor, testamentos de amor, pleitos de amor, gozos de amor, penitencias de amor, mandamientos de amor* y hasta *misas de amor".* Nos cita Pidal otra divertida fantasía alegórica, por título *Purgatorio de amor,* muestra del extremo a que llega el género; porque esta poesía tiene ciertos toques de crónica de sociedad alegórico-sentimental. Así como el cronista moderno de salones va nombrando a los títulos y personajes que concurren a la fiesta reseñada, así este poeta nos enumera a los nobles valencianos que se ha encontrado padeciendo en el amoroso purgatorio: "el buen marqués don Rodrigo", "vi luego al conde Oliva", "de Cocentaina allí veo / al conde dezir penado…", "don Alonso de Cardona", "don Ramón Carrooz", etc. Los coloca el poeta en este lugar de purificación sin duda para lisonja y halago de sus señorías. Lo cual prueba cuánto estaba ya el convencionalismo poético amoroso entretejido con la moda social. Poesía de clase, la cortesana, desde sus orígenes hasta este ejemplo de la decadencia.

MANUAL DE CORTESANOS

Y más adelante, ya posterior a Manrique, pero perteneciendo sin duda al mismo vasto conjunto de poesías dominadas por la concepción cortesana del amor, hay un *Doctrinal de gentileza* de Hernando de Ludueña que es como el canto del cisne de su género.

El propósito es adoctrinar, por medio de una serie de reglas, a los cortesanos para que sean perfectos amantes y caballeros. Ya en las primeras estrofas asoma el Dios de la escuela, el Dios de Amor. Se siguen las estrofas monótonamente, cargadas de preceptos minuciosos sobre el vestir, el hablar, el modo de usar el ingenio sin caer en maledicencia, las cabalgaduras indicadas para el cortesano. Y, por fin, se entra en una dilatada loa de las mujeres. Aquí es donde vemos tan fresca y animada como cuando nació allí en Provenza esa idea de que la mujer, por la sola gracia de ser mujer, es maestra inconsciente de virtudes y excelencias varoniles:

> *Por ellas es la dureza*
> *de los groseros deshecha*
> *como en el agua la sal;*
> *por ellas la gentileza*
> *de la virtud se aprovecha*
> *y es su parte principal.*
>
> . . . .
>
> *Ellas ponen al cobarde*
> *esfuerzo, sin le tener,*
> *e le hacen ser varón*
>
> . . . .
>
> *e por ellas se refrena*
> *el vicioso e se condena,*
> *e algunas menguas crecidas*
> *son por ellas convertidas*
> *en honras a mano llena.*

Lo que nos dicen los historiadores sobre los orígenes de la *cortesía,* de su modo de nacer alrededor de la dama principal y de sus servidores, y de, por ese derecho de nacimiento, ser siempre dependientes de ellas y vivir a su servicio, perdura de tal modo en la tradición, que lo formula así, siglos después, este poeta:

¿Qué haríades, cortesanos,
si en estas cortes reales
dama ninguna no oviesse?
Los pensamientos ufanos
crecidos de dulces males
¿quién sería quien los sintiese?
El cantar dulce, placiente,
y el danzar alegremente,
justar, vestir, yo diría
que sin ellas tal sería
como sin agua la fuente.

La doctrina gineolátrica, según la cual la mujer es centro de un sistema al que concurren aspiraciones, amores, cantares, músicas, sueños y deseos y además una fuerza formadora de la conducta noble, todo ello conforme a medida y ritual cortesano, acaso no se haya expresado con más precisión en nuestra lengua. Y la consecuencia natural es el consejo con que el poeta termina su poema:

Serví, serví e mereced,
suplicad e obedeced
e recibid si os pagaren,
e si la paga os negaren
ahorcaos o feneced.
Sabé que han de ser servidas
e jamás dadles enojos,
que mil razones lo quieren
y el servicio con las vidas,
con los bienes, con los ojos,
e todo como quisieren,
que según su gran valer,
su concierto e propio ser,
su condición e su tiento,

> *no hay ningún merecimiento*
> *que las pueda merecer.*

No cabe demostración más palmaria que la aptitud de perduración que llevaba en su entraña esa preceptiva del servicio por amor, ese reglamento de la ciega sumisión, convencionalismo que, no obstante haber rodado por tantos y tantos cauces de poemas, aún conserva un tono tan retóricamente vivo ya en los umbrales del Renacimiento, en donde se encontrará con un desconocido, que llega por otro camino nuevo y que en realidad se le parece mucho: el cortesano de la corte de Urbino, el de Castiglione.

JORGE MANRIQUE,
POETA DEL AMOR TRADICIONAL

Jorge Manrique vivió en plena tradición poética de su tiempo, sin duda. De ella recogen sus poesías amatorias esa tradición secundaria, la gineolátrica, y es singular mérito del poeta habernos dado en un número tan reducido de poemas la concepción entera de la poesía erótica *cortés*. Su lírica amatoria la tengo por el mejor compendio en verso castellano de toda la doctrina del nuevo amor. Ningún elemento se echa de menos en esa abreviada construcción poética: ni la divinización, ni la servidumbre y sus deberes, ni el estado de permanente inestabilidad, con sus goces, ni el juego conceptual con la muerte. Todo está allí, como en un muestrario primorosamente trasladado de dechados antiguos. Y, sin embargo, a pesar de todo lo que diga el análisis, nuestra sensibilidad no se engaña, cuando nota lo que falta: y es la incorporación total del autor, la adhesión de su ser entero a la obra que está escribiendo; nos hallamos frente a un caso obvio de tradición poética pasivamente restaurada. Manrique admiraba fuera de toda duda este modo de poesía, y por eso la imitó. En el proceso puso algunos leves sombreados de sentimiento, algunas finuras de concepto, que son suyas. Pero lo mejor de su alma permaneció ajeno a esta operación del ingenio poético. Y por eso se nos aparece como un trovador retrasado o un poeta neo-cortesano en rezago.

Pero sus versos amatorios eran dignos, así me pareció, de llamar la atención sobre ellos, por ofrecer un curioso ejemplo en la historia de los temas sentimentales en la lírica española. Y aún más, porque en ellos, cuando se los estudia, como haremos en seguida, en relación con sus *Coplas*, vemos un clarísimo caso del modo de funcionar de la tradición total y de las tradiciones secundarias de un poeta. Manrique se entrega parcialmente, sin comprometerse el alma, a esa tradición segunda de lo cortesano: su actitud es la de la imitación repetidora, pero no creadora. No existía entre la esencia de esa poesía cortés y el espíritu de Manrique esa afinidad profunda que es la única que permite al poeta re-crear la tradición. Ahí fue un *académico* de lo provenzal. Según Baena, el amante podía serlo, fingido; estas poesías de amantes fingidos resultan poesía fingida. Otra tradición segunda era la llamada a despertar el gran poder de Jorge Manrique: la tradición de la poesía de la muerte. Las *Coplas* empiezan: "Recuerde el alma dormida". Así era: el alma manriqueña dormida en el sueño *cortés*, en los retozos retóricos con la muerte hechiza, juguete conceptual inventado en la sensual Provenza, se encuentra un día con la muerte verdadera, en una villa castellana. Porque a él se le pueden aplicar los dos versos suyos, que dijo de su padre:

> *En la su villa de Ocaña*
> *vino la muerte a llamar*
> *a su puerta.*

CAPÍTULO II

La tradición literaria de la muerte

La ordenación de la vida que toma como su centro el amor *cortés* nació dentro de una clase social, la nobleza; fue en su origen uno de esos conceptos de minoría que las minorías se transmiten unas a otras, en el curso de los siglos, aunque muchos de sus componentes, a su paso, vayan calando más y más en otras clases de cultura inferior. Esa tradición del amor es valiosa no por el número de sus adheridos, sino por su calidad y trascendencia. Pero hay en la Edad Media otra realidad humana que a nadie deja fuera de su órbita, que alcanza por igual al prócer y al hombre de la labranza, y que al cristalizar en formas literarias cobra automáticamente una generalidad, un sentido superior a toda limitación de clase. Es la muerte. Para ser amante cortesano nos decían los doctores que se exigían ciertas especiales dotes de nacimiento y formación; al amor *cortés* sólo logran ingreso unos pocos. Pero, ¿a quién rechaza la muerte? Ella no distingue de cunas ni de sabidurías. A las Cortes sentimentales de Provenza únicamente concurren damas y galanes escogidos. A las Cortes de la Muerte caminan, por todos los viales del mundo, los hombres sin excepción. Si el erotismo adoctrinado es tema poético restricto, la idea de la muerte asoma, lejos de la poesía, en los sermones, en la enseñanza de la Iglesia, en el desarrollo de la escultura funeraria, envuelve de tal manera al individuo que se puede asegurar que las representaciones artísticas de la muerte son arte popular, conocimiento sembrado a voleo, para todos, en contraste con ese cultivo refinado del amor, a que se dedican en sus tapiados jardines los cortesanos. No quiero decir con esto que la poesía medieval de la muerte sea más abundante o mejor que la amatoria; probablemente no lo

43

es. Me refiero tan sólo a la penetración social de la idea de la muerte, plasmada en cualquier forma artística, para la cual todo terreno estaba preparado por el laboreo de la Iglesia, de sus prédicas y admoniciones.

Max Scheler, comparando al hombre moderno, el hombre negociante que se desvive por el anhelo de trabajo y ganancia, con el cual narcotiza, por decirlo así, el pensamiento de la muerte, escribe del otro, del hombre antiguo: "Como una figura bordada con sedas abigarradas construía el tipo antiguo los contenidos particulares de su vida, sus acciones y obras, dentro de la estructura de la totalidad de una vida flotante siempre ante sus ojos. Vivía en vista de la muerte. La muerte era un poder rector y conformador de su vida; algo que confería a ésta articulación y estructura". Por eso el hombre medieval acude a la literatura con el propósito con que siempre va hacia ella el hombre: salvar a su experiencia humana inmediata y elemental de su carencia de forma exterior, apartarla de su fugacidad de individuo, que pasa, objetivándola en un hecho nuevo, la obra, para dejarla así a salvo de su propio perecer. Esa literatura de la muerte en su último fondo es una forma de lucha con la muerte. Aun cuando canta la resignación con el morir, está haciendo traición a su doctrina. Porque la forma más digna y noble de la resignación es el silencio, y la palabra se alza aquí, precisamente, para que algo no muera, ella misma; para que sobreviva a la muerte cuya aceptación está cantando. Inevitable doblez, la del poeta; porque serlo es representarse, es, partiendo de su ser, ser otra cosa; no imitar el simple sucedido de la vida material, sino inventárselo, cual si no hubiera acaecido; transformar el suceso bruto, ya sea psicológico, ya material, en creación profunda, de tal suerte que nos parezca que a él *se le ocurrió* lo ocurrido.

LAS CRISTALIZACIONES POÉTICAS
DEL SENTIMIENTO DE LA MORTALIDAD

Hace muchos años Gómez de la Serna definió la muerte como "un estado en que no se pueden fumar puros". La frase puso en pie toda una multitud de risas, de improperios, de entusiasmos, de desprecios y de insultos. Y, sin embargo, tiene toda la perfecta lógica del absurdo; porque no hay duda de que para un ciudadano que considere la sal de su vida el frecuente y gustoso aspirar de cigarros habaneros, la privación más temible que la muerte le imponga será, justamente, esa de fumárselos. Cito esta anécdota como muestra de que a la muerte se la puede mirar desde múltiples miraderos, hasta desde éste de las vitolas cubanas, aparentemente tan disparatado. Es un complejo tan rico en posibles representaciones, que la literatura que tenga por centro la preocupación de la muerte puede irradiar en las direcciones más variadas. Así ocurrió en la Edad Media. En el capítulo que I. Siciliano consagra a la muerte, en su libro sobre Villon, se hallan abundantes muestras de la frondosidad con que medró el tema.

Aparte de la presencia del pensamiento de la muerte en la mayoría de las obras de carácter moral, la que llamaríamos literatura difusa de la muerte, cristaliza ésta en una serie de formas definidas, la literatura concreta de la muerte. Como en todos los aspectos de la literatura medieval, se nos ofrece a modo de patrimonio común de varios países en los que brota y se desarrolla con caracteres similares.

En unos poemas, como el de San Bernardo, se menosprecia el mundo y sus bienes. En otros, como los "Vers de la Mort", del monje de Froidmont, Helinand, el pensamiento de la muerte se traduce hasta en esquemas estilísticos, cuando en las últimas estrofas el poeta empieza todos los versos con la palabra *Morz*, de suerte que la repetición nos comunica una angustiosa sensación obsesiva:

Morz fait a chascun sa droiture,
Morz fait a toz drite mesure,
Morz poise toz a juste pois,

y así hasta acabar, en diez de los doce versos que componen la estrofa, para volver a empezar la siguiente de la misma manera. Lo cual nos interesa como indicio de que el tema ya llega a corporeizarse en fórmulas de estilo propias, que se corresponden con el sentido general de toda esta literatura mortal, el *memento mori* famoso. Esa fórmula repetitiva es la justa proyección estilística del deseo de grabar en nuestra conciencia, golpe tras golpe, a martillazos, la verdad de la presencia de la muerte. En otros poemas se usa con arbitrio parecido: todas las estrofas comienzan por las palabras: "voy a morir"; son los llamados poemas de *vado mori*. Luego interviene la imaginación en mayor cuantía, y se nos ofrecen tres hombres muertos que dialogan con tres hombres vivos de aquello que los separa: la muerte; es el "Dit des trois morts et des trois vifs". Esa división en dos voces, esa dialoguización del tema, nos aproxima a otro extraño y espeluznante diálogo: el del alma y el cuerpo. Los dos, separados, debaten al modo medieval y se echan en cara sus culpas.

LAS DANZAS DE LA MUERTE

Y al cabo se llega a la más feliz invención de la poesía de la muerte, ya presentida en alguna de las formas anteriores, la Danza Macabra o Danza de la Muerte. Tales atractivos tenía para el gusto medieval, que se apoderó pronto de toda el área literaria europea, asumió imperialmente el puesto de la mejor representación imaginada de la mortalidad y, saliéndose de la palabra escrita, se derramó por el campo de las artes plásticas, en donde estaba llamada a fortunas más variadas e ilustres que en la poesía. Es sin duda un gran acierto de fijación alegórica. Usa ya el efecto por contraste, el del barroco y el de los románticos, de aproximar estrechamente las dos experiencias: la una, festival, exaltación del cuerpo y sus gracias, apogeo de la belleza física, y la otra, la muerte que significa el acabamiento y la negación de todos los valores corporales. Muerte y danza se ligan por una especie de sarcasmo conceptual, en patética pareja. La representación abunda en alusiones: sin percibirla físicamente, se da como por oída la música; y, sin verlos, se supone la imaginación los vuelos, los giros, las sucesivas estampas del baile, y de ese modo la armazón alegórica queda por un momento sumida en la plasticidad de las imágenes evocadas. Añádase el sentido social, tan grande, de esta ficción. La idea del poder igualitario, arrasador, de la muerte, que a todos convoca a su siniestro festival, al papa, al mercader, a la dama de la corte y al ermitaño, para ponerlos a todos al mismo ras, no había encontrado en la Edad Media más feliz traslación imaginativa. Todos iguales. Es la justicia final, que sin aparato judicial, so capa de siniestra fantasía y de juego espeluznante, viene a borrar las distinciones y desigualdades que a los hombres se les imponen en esta tierra. De seguro que el anhelo de mejor trato social, de humana equidad que sordamente debía de latir en muchas almas, se lanzó sobre esta gran metáfora con un gozo un tanto vindicativo. Respondía, además, la doctrina implícita en la Danza, a la de la Iglesia. Y en una época de lenta diferenciación de los géneros, la Danza proveía a las gentes con una especie de drama, representado en la imaginación, con un ilusorio teatro del mundo, regido por la muerte como gran empresaria, directora, autora y primera actriz, todo en una pieza. Porque en este tipo de obras lo dramático desciende fácilmente a lo teatral y logra considerable potencia efectista. Todavía se puede alegar otro motivo del triunfo de este género. La Danza es un inventario bastante detallado de los tipos sociales, y, según la Muerte pasa su trágica lista, aparecían ante el hombre medieval los estados, los oficios del

mundo, todos los modos de vivir de las gentes, sin excepción:
de manera que, en cuanto a la variedad de personajes, cabe
calificarla de *Comédie humaine* del cuatrocientos. A Francia
le toca, según Wolfgang Stammler, el mérito de esta estu-
penda invención alegórica.

España, como componente que era del universalismo occidental en la Edad Media, recoge las más importantes de entre las cristalizaciones poéticas del pensamiento de la muerte,
y las hace suyas al uso de la época: poniéndolas en su ver-
náculo. Ya en el siglo xiii hubo una "Disputa del alma y el
cuerpo": sólo restan treinta y siete versos del poema. Y al
final del xiv se escribe la "Revelación de un ermitaño", donde
se encuentra en versos castellanos el tema del cadáver, del
resto mortal, dicho con simple crudeza realista:

> *Topé con un omne que yasía finado.*
> *Olía muy mal, ca estaba finchado.*
> *Los ojos quebrados, la faz denegrida,*
> *la boca abierta, la barba caída.*
> *De gusanos e moscas muy acompañado.*

Hacia el cuerpo vuela "un ave de blanca color"; gira en
torno suyo batiendo las alas y por fin prorrumpe en dicterios contra el despojo; es el alma condenada por culpa de él,
del cuerpo.

Un poco más tarde se escribe la "Danza de la Muerte"
española cuyas características ha estudiado Miss Florence
Wythe. Aunque no distinguida por ninguna adición sobresa-
liente a los tipos extranjeros anteriores, no podemos por menos de ver en esta alegorización el primer paso que da el
pensar literario español en la muerte, por un camino que,
a través de algunas obras del siglo xvi, irá a terminar en la
más soberbia masa de poesía religioso-alegórica del mundo,
los autos sacramentales. Y no necesito decir que no hablo
de ninguna influencia externa; sí de algo más profundo, de

una querencia del espíritu español hacia el enlace de las pompas poéticas y conceptuales máximas con el extremo punto de la miseria del hombre, la muerte.

Pero la poesía de Jorge Manrique, al estar originada en la muerte de una persona, de su padre, no se vuelve hacia estos moldes, en los cuales la idea de la muerte está referida a los humanos en general, sin dedicación a mortal alguno. Se sirve de la forma entonces usual de la poesía elegíaca motivada por la muerte con un mismo nombre en todos los autores. Unos, Juan Ruiz, Santillana, Gómez Manrique, lo llaman *planto*. Los dos últimos, en otro caso, lo titulan *defunción*. Pérez de Guzmán, sin buscar la denominación específica, se atiene al nombre general que se solía dar a una poesía: *decir*. Si Manrique llama a la suya *coplas*, acaso fuese acordándose de Pérez de Guzmán, que así tituló a las que hizo a la muerte de don Alonso de Cartagena. Bajo todas estas designaciones hallamos una misma cosa: la elegía.

BREVE REVISTA
DE LA ELEGÍA ESPAÑOLA MEDIEVAL

1. *La primera elegía: llanto a una alcahueta*

La historia de la elegía en lengua castellana empieza con una sorpresa. ¿Quién es la primera persona que despierta en un poeta la vena del llanto y los acentos de la lamentación? Se cree, y no sin motivo, que una poesía funeral sólo se la merecen personajes de cuenta, poderosos y grandes en algún alto oficio humano. Y resulta, como si la literatura española quisiera ser desde el primer momento indómita, aparte, y libérrima en sus actos, que nuestra primera gran elegía echa de menos a una alcahueta, a la Trotaconventos del Arcipreste. No puedo conformarme con la opinión de Lecoy cuando atribuye a la elegía un tono burlesco. Él mismo reconoce en ella "una cierta sinceridad"—yo la llamaría evidente autenticidad—, prueba de que el Arcipreste se entrega a su tema, lo vive entero, sin la duplicidad intelectual implícita en la parodia burlesca. Ni cinismo, ni siquiera desenfado, hay en elegir a la vieja como digna del planto, sino sólo aquella vehemencia vital cegadora del Arcipreste, que no distinguía en el mundo entre las innumerables formas con que la vida se le presentaba y las tenía a todas por buenas, con tal de que palpitaran y le conmovieran. ¿Quién va a dudar que la Trotaconventos es _alguien_, que las malas artes de su mal oficio alumbran en ella una serie de cualidades que la señalan, la asiluetan con estrictos perfiles personales? Si de bajísima ocupación, esa primera heroína de nuestra poesía elegíaca no era, por lo menos, figura borrosa, abstraída representación. No puedo por menos de notar, al paso, cómo la poesía española sigue en todo su curso esa hermosa liberalidad de elección de sus personajes, desligada de consideraciones sociales, grandeza, poderío, fama, obediente sólo a las estimaciones humanas, de prójimo a prójimo, de sangre o de valoración individual: lamenta la muerte de un padre, Manrique; de una madre ideal, Garcilaso; del hijo niño, Lope de Vega; de una amante, moza bravía y desgarrada, lidiadora con la moral común, Espronceda; de un torero, García Lorca. Los poetas elegíacos, negándose a la adulación de los encumbrados en la general fama del mundo, cantan a los _suyos_. Y Trotaconventos estaba muy cerca del protagonista del _Libro de buen amor_, y por esa proximidad a él se ganó la elegía, por razón personal, y no general.

Dice la muy sabia y muy fina María Rosa Lida que la elegía contiene las tres partes exigidas por la convención retórica: consideraciones sobre la muerte, lamentos de los sobrevivientes y alabanzas del difunto. La proporción de estos tres elementos es muy variable. Consta el planto de 58 coplas de cuaderna vía, es decir, 232 versos. Sólo unas 10 coplas, incluyendo las 3 del epitafio, son las expresamente destinadas a ensalzar las dotes de Trotaconventos, lamentando su paso de este mundo. Así que en realidad la poesía es un dilatado apóstrofe contra la muerte y una enumeración desordenada de sus estragos. El tono lo da ya el primer verso:

> *¡Ay muerte, muerta seas, muerta e malandante!*

Los anatemas, los dicterios, a cual más pintoresco, se sacuden con la torrencialidad discursiva propia del Arcipreste. Y tan fogoso es su acento, tan violentas las imprecaciones, que se nos figura ver al Arcipreste dando cara, en una especie de riña callejera, a un ser vivo que tiene allí delante, y no a una figura de *debate* alegórico. Salen aquí las notas usuales con que se califica a la muerte en la Edad Media, el fondo común, nacido de la doctrina cristiana, de la época. Lecoy, en su valiosa obra sobre el *Libro de buen amor,* señala con escrupuloso detalle los textos de que dependen concretamente muchas de las ideas de Juan Ruiz sobre la muerte. La potencia igualitaria:

> *A todos los igualas e llevas por un prez.*

Su implacable dureza, su desmesurada crueldad:

> *Non hay en ti mesura, amor nin piedad.*

La cualidad que tiene la muerte de inescapable:

> *Non puede foir omne de ti nin se asconder,*

y la incertidumbre sobre su necesaria llegada:

> *¡El ome non es cierto cuándo e cuál matarás!,*

así como la no menos común noción de lo inútil que es aco-
piar bienes temporales, que él no puede llevarse y que le
serán arrebatados:

> *Los averes legados llévaselos mal viento.*

La tendencia de Juan Ruiz a la proyección extensiva de cualquier idea en ejemplos realistas, presentados con violenta
plasticidad, le llevó a la insistencia en ciertos aspectos materiales de la muerte. Uno es la potencia destructora de la
humana carnalidad que tiene la muerte:

> *Los ojos tan fermosos póneslos en el techo,*
> *ciégaslos en un punto, non han en sí provecho.*

Otro es el horror que inspira el hombre muerto, el cadáver;
nos lo comunica Ruiz con unos símiles, ya crudos ya gra-
ciosos:

> *¡Todos fuyen dél luego, como de res podrida!*
> . . . .
> *¡Todos fuyen dél luego, como si fues' araña,*
> *déjanl'en tierra, solo: todos han dél pavor.*

El más largo es una pintoresca digresión, ya caída de pleno
en la zona propiamente ajena a la elegía, de la sátira social
sobre la codicia de los familiares del moribundo, que para
heredarlo están esperando el tañido de las campanas funerales, se precipitan a enterrarlo, y con el sepelio lo entregan
al olvido, sin más preces ni recuerdos. Si dejó mujer, ya hay
quien la codicie:

> *Si deja mujer moza, rica e paresciente,*
> *antes de misas dichas otros la han en miente.*

Por supuesto, la muerte aniquila la gracia, la hermosura, la fuerza y entristece la alegría. Juan Ruiz no vacila en conceder a la muerte el sumo valor negativo de ser la mayor enemiga de la vida y del mundo:

¡Muerte, matas la vida, al mundo aborreces!

Se eleva el Arcipreste a un grado superior de fogosidad lírica y de amplitud de emoción cuando traduce esta oposición muerte-vida a términos de pavorosa generalidad y de preciso realismo al modo apocalíptico:

¡Tú yermas los poblados, pueblas los cementerios,
refaces los fonsarios, destruyes los imperios!
¡Por tu miedo los santos rezaron los salterios!

Y por aquí llega a la altura mejor del poema, a su instante de más hermosura lírica, cuando recoge en sus encendidos alejandrinos el gran drama de la lucha, muerte y triunfo de Nuestro Señor Jesucristo, el único que después de haber sido aparentemente sometido también a su yugo, en su pasión terrenal, acaba por matar a la muerte misma:

¡Tú matástel'un hora! ¡Él por siempre te mató!

Es posible apoyarse en este pasaje para afirmar que después de todo Juan Ruiz se alza sobre esa concepción torva y empavorecida de la muerte, vista como destrucción total y fin absoluto de la vida y del hombre, a otra más esperanzada. Pero los versos con que acaba esta parte revelan, a mi ver, un desconcierto psicológico, una inseguridad que devuelven al individuo a ese estado pánico donde se movían en la Edad Media los pensamientos comunes sobre la muerte; porque si se vuelve a Dios es para impetrar de su bondad que aplace la venida de la terrible todopoderosa:

*A Dios me acomiendo, que yo non fallo ál
que defenderme pueda de tu venida mortal.*

En el ya breve resto de la elegía, hace Juan Ruiz el elogio
de la difunta medianera, le ofrece misas y limosnas, y hasta
espera verla en la gloria del Señor. Remata con un epitafio: Urraca aconseja a las gentes que obren bien, y solicita
un padrenuestro; todo entre otras palabras tan equívocas, en
cuanto a su sentido moral, como la actitud toda del Arcipreste con esta amadísima serviciaria de sus apetitos amo-
rosos.

El hecho de estar este poemita sumergido en la trama del
Libro de buen amor, explica que no se le haya concedido el
valor que tiene, en la historia de nuestra lírica de la muerte.
Que Juan Ruiz haya dispuesto liberalmente de las ideas morales del acervo medieval, en nada lesiona al valor poético,
a la energía de impresión de estos versos. (Es, reducido a
este fragmento, lo que sucede con el *Libro* entero, aprovechamiento, casi todo él, de conocidos precedentes y, sin embargo, tan original.) La abundancia de temas que recoge, y que
tanto contribuye a intensificar, por acumulación, el efecto total, el fuego con que los relumbra, la elocuencia apasionada
con que los dice, se imponen sobre lo repetido de los conceptos. Hasta el desorden del poema y las vueltas sobre lo
mismo nos transmiten la impresión del atormentado. Delante
de este hombre que se pasea y nos pasea por el espectáculo de
un mundo terrenal, donde las acciones de los hombres os-
cilan entre la mantenencia y el erotismo, se abre de pronto
una región atorbellinada y pavorosa, en la cual bienes y placeres, los tan queridos, los tan gustados por su formidable
apetencia sensual, han de caer fatalmente, arrebatados por los
remolinos de lo fatal, hacia su vórtice, el acabamiento en la
muerte. Juan Ruiz es el primer poeta que se hunde en las
aguas sin sonda del pensamiento de la muerte y en ellas por-
fía, entre el desánimo y la esperanza, sin saber si le salva-

rán o no le salvarán tantos recios forcejeos por la *cuaderna vía.*

2. La *"defunción"* o elegía personal en el *Cancionero de Baena*

Ese título que dieron algunos poetas a sus poemas elegíacos personales es muy expresivo, ya que denota que su causa inmediata es la desaparición de una persona determinada. En este sentido las *Coplas* de Manrique son una *defunción*, como lo es ya, asimismo, el planto a Trotaconventos.

En el *Cancionero de Baena* hay varias poesías de esta clase, que declaran en su título su carácter de motivación directa en la muerte de una persona. Son obra del propio Alfonso de Baena, de Fr. Migir, de Alfonso Álvarez, de Gonzalo Martínez de Medina, de Ferrán Sánchez de Calavera.

La de Alfonso Álvarez es la más simple: dedicada a la muerte del rey don Enrique, no desciende del plano de las reflexiones generales sobre la muerte, en cuanto seña de la falta de firmeza de las cosas de este mundo. Este mundo es "un burlador conocido". Nos indica esta poesía cómo es posible y usual que, aun originándose en el fallecimiento de un ser determinado, el poeta para nada se refiera a su persona, y la olvide en la consideración general del fenómeno ese de la muerte, que se la llevó.

En el *decir* de Gonzalo Martínez de Medina "cuando murieron Diego López e Juan Velasco" se repite esa actitud: la muerte es un ejemplo ("aved este enxemplo por maravilloso") de la volubilidad de la suerte y lo inútil del allegamiento de las riquezas temporales, que se escapan de sus presuntos señores ("pues todo pasó así como viento").

Juan Alfonso de Baena pone antes de su poesía funeral al rey don Enrique unas significativas palabras: "este dezir... es muy dolorido, bien quebrantado e plañido..." Se trata del poema que llamaremos plañidero, del *planto* en su acepción más estricta. Es una proyección literaria del uso antiquísimo del plañido, del lloro y la queja ritual y obligatoria, a la muerte de una persona; aquí lo tiene a su cargo, no la endechera o plañidera de oficio, cuyas lamentaciones se pierden en el aire, sino el poeta, que las fija por escrito, candidatas a la permanencia. Así como el *planto* real es una mecanización de la expresión del dolor, así estas poesías son mecanismos literarios de idéntico fin. En el poema de Baena se enumera la participación en el lloro de todas las gentes del reino, empezando por la reina y sus damas, siguiendo por el Infante, el Condestable, el Almirante, los maestros, y así de escalón en escalón, escala social abajo, hasta llegar a sus camareros, y se exhorta a insistir en el duelo y clamoreo funeral. "Los lloros e llantos traspasen el cielo". Es casi un duelo oficial, de encargo, por orden de la superioridad, con participación de todos los funcionarios públicos.

La variante de Fr. Migir, de la orden de San Jerónimo y capellán del obispo de Segovia, aun respondiendo a una fórmula, es más movida y movedora que la de Baena. El rey muerto habla desde su ataúd. Él mismo adoctrina a los que dejó detrás en este mundo sobre sus mutaciones de ventura y desventura, sobre la inutilidad del tesoro y del poder. Pero encuentra un argumento de consolación, parte esencial de este mecanismo poético de la lírica de la muerte: y es el convidar a los hombres a que alivien el dolor causado por su defunción, considerando cuántos grandes y poderosos señores murieron antes que él. Es la famosa posesión de los muertos ilustres, el desfile de nombres y más nombres, sacados de las *escrituras* antiguas, de las historias, así al azar, y ensartados en una retahíla que parece que no va a terminar. El famoso *ubi sunt,* estudiado por miss Anne Krause inteligente y diligentemente.

Su eficacia y el favor que disfrutó se deben a que combina el cultismo aristocrático y el gusto popular: se acarrean esos títulos ilustres, se hace gala de una erudición histórica abundosa, imponente, se nos lanzan a la atención nombres de los varones excelsos; y en seguida se nos dice que desaparecieron exactamente igual que los mínimos, idea popular de la fuerza igualitaria de la muerte. Y por último la otra función es ésa, la señalada por Fr. Migir, consolarnos con el pensamiento de la generalidad de esta sentencia de muerte para todos los hombres:

> *Por ende, señores, pues non vos quejedes*
> *de ver la mi muerte, que otros murieron*
> *más grandes, más altos, según oiredes.*

Sigue la dilatada lista, que ocupa nada menos que cuatro estrofas, y al final se hace la pregunta célebre: *ubi sunt?* ¿Adónde han ido a parar ellos, con todas sus posesiones terrenales y sus pompas?

Cuando muere en Valladolid el "famoso e honroso caballero Ruy Díaz de Mendoza", Ferrán Sánchez Calavera le consagra un *decir* que es la mejor poesía elegíaca del *Cancionero de Baena*. Se mantiene Sánchez Calavera en la misma altura de reflexiones generales, y sólo seis versos de los 96 de la poesía recuerdan al difunto. El esquema del *ubi sunt* se lleva la mayor parte del poema, dividido en dos secciones: en una echa de menos a las gentes pasadas designadas, no por sus nombres propios, sino por títulos y estados del mundo. No se contrae a los grandes, porque después de nombrar "papas e reyes e grandes perlados", se pregunta, con acentos que se acercan más a nuestra sensibilidad, por seres a quienes no tocaron grandes papeles en la escena del mundo, humildes personajes de la humanidad común:

> *Padres e fijos, hermanos, parientes,*
> *amigos, amigas, que mucho amamos,*
> *con quien comimos, bevimos, folgamos...*

¡Cómo se humaniza la fórmula en esta escena y apeándose de sus pompas eruditas e históricas—que siempre nos quedan distantes—se colorea, y anima y viene hacia nosotros, segura de hallar acogida! La segunda parte del esquema se pregunta por el paradero de las grandezas, los poderes y los placeres de la tierra. Se desarrolla, paralelamente a lo anterior, en dos planos: uno, el general y abstracto.

> *¿A dó los orgullos, las famas, los bríos,*
> *a dó las empresas, a dó los traheres?*
> *¿A dó las ciencias, a dó los saberes...?*

Y entonces recuerda a las realidades concretas del mundo, al buen comer, al buen vivir, al buen danzar, al canto y a las risas:

> *¿A dó los convites, cenas e yantares?*
> . . . .
> *¿A dó las artes de los danzadores?*
> . . . .
> *¿A dó los risos, a dó el placer?*

Decae el poema según avanza su fin, por la ocurrencia de una idea extraña a su ser esencial, y es el advenimiento de la edad de destrucción y tribulaciones, profetizados por Isaías y Jeremías. Se siente en este poema, ya como posible, la gran poesía de Jorge Manrique. Es una de esas obras de tanteos, de vislumbres, caminadores hacia la luz final de un tema, flacas aún de fuerzas para llegar a él, pero que van derechas. Ninguna poesía más próxima a las *Coplas*, a mi juicio. Podrán señalar los críticos ortodoxos del historicismo a secas pasajes de uno u otro poeta, coincidentes en su formulación verbal o estilística con las *Coplas*, semejanzas literales; pero hay algo más importante en la poesía, y es la similitud en el modo de aproximarse poéticamente a un tema, aunque difieran las palabras y las fórmulas, por fuera; la concordancia de dos poetas, mediocre el uno, grande el otro, fracasado aquél y triunfador éste, al intentar la conversión en puras formas poéticas de una misma experiencia humana, el pensamiento de la muerte.

3. La "defunción" o elegía personal en otros poetas del siglo XV: Fernán Pérez de Guzmán

No hay poeta de nota en el siglo xv inmune al dolorido sentir de la muerte. De entre ellos los hay que adoptan la forma lírica de la *defunción* que venimos reseñando, mientras otros, que serán señalados después, se acercan al tema de lo mortal por otras vías.

Fernán Pérez de Guzmán se conduele de la muerte de don Alonso de Cartagena, en una poesía llamada, como la de Jorge Manrique, *Coplas*. Verdadero encomio poético, desarrolla en cuatro estrofas las alabanzas a las singulares virtudes del varón fallecido, protagonista real de la poesía. Y de ellas se pasa a una queja contra los caprichos de la fortuna, que priva al mundo de varones preclaros y respeta a los que le son muy inferiores:

> *Queda quien debe partir,*
> *parte quien debe quedar,*

dice lapidariamente. Pero, a fuer de buen cristiano, él mismo ahoga, en sus propios versos, esa duda o protesta contra el orden impuesto por Dios, y se somete a su "juicio divino / alto e inestimable".

En otro *decir* lamenta la muerte del Almirante Mayor de Castilla, Diego Hurtado de Mendoza. Habla por boca del muerto, según el arbitrio ya usado por Fr. Migir. Se ofrece el Almirante en lección de humildad, porque ahora a él, que tanto señorío tuvo, le basta una braza de tierra. Y, adentrándose por el camino de la reflexión moral, vuelve a los dos ya conocidos esquemas poéticos: uno, de la igualdad de todos ante la muerte, otro, su comprobación por medio del recuerdo de los próceres del pasado, bíblicos, griegos y romanos. Salomón, Alejandro, César, Pompeyo, etc. No era mucho poeta Pérez de Guzmán, y así este poema sirve de ejemplo a un tipo de poesía redicha, puramente reiterativa de formas anteriores.

4. *Santillana*

El Marqués de Santillana, poeta mucho mayor y cuyos versos circulan por una gran extensión temática que tiene a un extremo la filosofía moral y a otro la sensualidad estilizada, trae a esta serie de elegías personales dos obras, y un nuevo interés.

Deseoso de renovar el tema de la *defunción*, lo alumbra con los rayos de la alegoría complicada, a la italiana. Para lamentar en su "Defunción de don Enrique de Villena" el tránsito de personaje tan singular, se nos pinta, después de una culta introducción, transportado a una lejanía agreste y espantable; allí avanza él solo por una senda, y siguiéndola entre apariciones de fieras disformes y de alimañas variadas, de centauros, de arpías, de "fembras marinas"—las sirenas uliseicas—, llega a un prado donde hacen su planto extrañas criaturas, y por fin sube a lo sumo de un monte donde se halla con el lecho mortal del fenecido. Rodéanlo nueve doncellas que, con las cabelleras sueltas, se quejan de sus pérdidas: perdieron a Homero, a Ovidio, a Horacio, a Petrarca, a Dante, entre otros menores de la lista, y ahora a don Enrique:

> ¡Cuitadas! lloremos tan rico tesoro
> como sin recurso habemos perdido.

A la amanecida, el poeta despierta, en su lecho, del alegórico sueño.

En "El planto de la reina Margarida" su cámara se llena de una luz clarísima y misteriosa, en la que aparece la diosa de Amor, cantando como una endechera; ante su llanto pregunta el poeta por la que lo causa. Después de revelarle que se trata de la reina Margarita, la diosa convoca para la celebración funeral a todos los amadores:

> *Venid, non vos deteniendo,*
> *e resuene vuestro llanto*
> *en los cóncavos peñedos*
> *e tornad tristes de ledos*
> *amadores, con espanto.*

Van apareciéndose, igual que en un juicio final, todo género de personajes de la antigüedad, troyanos, asiáticos, tebanos, macedones, cartagineses, turcos, cretenses, y todos concurren en el dolor. La diosa, actuando de plañidera mayor, les guía en sus llantos. Ni siquiera en el templo de Apolo, afirma el poeta, se hicieron duelos parecidos. Con el desvanecerse de las estrellas en el cielo, se borran así estas funerales figuraciones, y el poeta despierta.

Este tratamiento del tema por Santillana nos da otro ejemplo más de un modo de fracaso muy frecuente en la poesía. Suele ocurrir que cuando el poeta se acerca a un tema usado sin capacidad suficiente para reanimarlo, esto es, para infundirle nueva alma poética, y queriendo renovarlo, lo hace desde fuera de la realidad misma del tema poético, por medio de unos arbitrios retóricos, superpuestos, que, revistiéndolo de cierta envoltura de novedad, le logran cierto momentáneo éxito. Santillana era una especie de modernista de su época. Al corriente de los estilos poéticos que triunfaban en otras lenguas, propendía a sumarlos a la lírica española. Sin duda debió de parecer, a él y a muchos lectores de su tiempo, notable invención ésta de enfocar sobre el tema corriente de la elegía los rayos flamantes de la retórica alegorizante italiana. En el poema de Baena a la muerte del rey Enrique hacen el planto los familiares y cortesanos del monarca difunto, empezando en los más encumbrados, y sin parar hasta los más humildes. Hay en el Renacimiento una técnica ennoblecedora, la cual presupone que todo aquello que entre en contacto con lo grecorromano, divinidades griegas, eminencias romanas, sube inmediatamente de dignidad. Es la fe en la luz divina, recién descubierta en todo su valor, que presta claridades magníficas a todo aquello en que refleje, hermosa fe en la virtud inmanente del arte de la antigüedad. Y así el Marqués convierte a los plañideros, de gentes de su tiempo, que eran los gemidos funerales en el poema de Baena, en musas, o en amantes ilustres de la historia clásica; y los sitúa en aquellas decoraciones propias del gran teatro de las alegorías medievales, tramoyas de sueño erudito, con bambalinas literarias de prestado. En el fondo nada ocurre; el tema sigue intacto, tan inánime como antes. Al contrario, ese sistema de intelectualización cultista nos aleja del tema del pensamiento poético de la muerte, en su esencialidad.

5. *Gómez Manrique*

Hay en la obra de Gómez Manrique, el tío del autor de las *Coplas,* dos curiosas elegías. La primera es una *defunción,* la del caballero Garci Lasso de la Vega. Se da noticia, primero, del luctuoso sucedido, la muerte del doncel por una mala saeta de un ballestero moro. Sigue la loa del muerto, en cinco estrofas, de su bravura en el campo de batalla, y se idealiza entre los nobles versos un detalle realista: murió por falta de una babera, pieza de la armadura que no quiso ponerse por ir más suelto de movimientos. La hueste cristiana vuelve de la lid llevando delante, cadáver ya, a aquel que siempre volvía el último, reacio a arrancarse de la lucha:

> *así nos volvimos delante llevando*
> *aquel que solía volver en la zaga,*
> *así nos volvimos con tan fuerte plaga*
> *los unos gimiendo, los otros llorando.*

Viene luego el relato del enterramiento en una capilla de la iglesia de Santa María, en Quesada, entre grandes duelos de los presentes. Pero la familia del guerrero vive en Sevilla, y hacia allí parte un mensajero con el triste mensaje. La mayor parte del poema se consagra a decirnos cómo fue la llegada del enviado, cómo dio cuenta de la desdicha a su madre. Mensajero discreto y sabidor, endilga a la madre un numeroso discurso de seis octavas; le trae la noticia y del mismo aliento le ofrece el consuelo:

> *Por ende, señora, pues perdió la vida*
> *ganando por siempre la celeste gloria,*
> *dejando de sí perpetua memoria,*
> *no debe de ser su muerte plañida.*

Con gran sutileza de sensibilidad el poeta nos dice que a las palabras del mensajero sucede un silencio comparado al del tiempo que transcurre entre el disparo de la bombarda y la caída del proyectil. Y luego lo desgarran los alaridos de la hermana del muerto, coreados por las quejas de las otras damas presentes. Suéltanse las cabelleras, que cubren el suelo, se arañan los rostros, y hasta dicen cosas "a Dios desplazientes". Es la escena clásica del planto, y el poeta la compara al de las romanas después de la rota de Cannas. De pronto, en el centro de esa escena de la desesperación, pura entre las quejas y los gritos, se alza la voz de la madre, personaje sin duda el más dolido de todos. Sus dichos son, sin que ahora el poeta lo diga, de verdadera dignidad romana:

> *Yo que debía ser consolada*
> *conviene que sea la consoladora.*

De su boca sale, sin más excepción que una pedante cita de Aristóteles, la más hermosa doctrina de la conformidad con el querer de Dios, y el recordatorio de que este mundo es lugar de pasaje; que no conviene lamentarse en demasía por salir de él. Cuando termina, las otras señoras cesan en su llanto, como persuadidas por la belleza moral de las palabras. Acaba la elegía contándonos cómo la familia va en busca del ataúd a Quesada, y el cuerpo del héroe se transporta a un gran convento de monjas, fundado por la madre, donde reposará junto al de su progenitor, en el monumento funerario que se merece.

Si se salvan los toques de impertinente erudición y de añadida pedantería, los excesivos desarrollos oratorios que tiene el poema, nos queda en él una de las más hermosas elegías del siglo XV. Los pormenores realistas, los cambios de lugar, la escena grandiosa de la notificación y la admirable respuesta de la madre, dan a la nueva forma del tema una extraña mezcla de movilidad narrativa, nobleza dramática y altura moral. Por el constante empeño de la crítica de no ver relaciones sino en los puntos de la superficie, en las obvias semejanzas de conceptos o en las coincidencias literales de palabras, no se ha pensado en esta *defunción* con referencia a las *Coplas*. Tan distintas como son en el planteamiento y desarrollo exterior del tema, el lector no puede por menos de sentir una misteriosa afinidad de tono espiritual entre las dos obras. Es ese que llamaríamos el *acento* manriqueño, noble entre los españoles, este que inicia sus primeros pasos en algunas poesías de don Gómez, y que recoge, como el más preciado tesoro de familia, su sobrino Jorge para llevarlo al supremo destino poético.

La otra elegía personal de Gómez Manrique la ocasionó la muerte de su maestro venerado, el Marqués de Santillana. Como otro segundo padre suyo le califica en las palabras que preceden al poema, y ellas dan fe de todo lo que le debía, aliento, ejemplo y enseñanza, en su ejercicio del arte poético.

Indudable es la sinceridad con que sintió la muerte del Marqués. Se propuso escribir un tributo poético digno de su grandeza. Y acaso por su preocupación en hacer una gran obra, una especie de monumento funeral de vastas proporciones, se le escapó el poema que, nacido de su auténtico sentimiento de dolor por Santillana, podía haber escrito. Adopta el enfoque alegórico del tema que usó el propio Santillana en su elegía a don Enrique de Villena, pero dilatando el poema extraordinariamente—tiene trescientos cincuenta versos—y complicando todas las figuraciones alegóricas, de modo que el *planto culto* encuentra aquí su apoteosis. Después de una breve introducción sobre el tiempo del año en que muere el Marqués, la parte más graciosa del poema, empieza a relatarnos las etapas del viaje alegórico, ese indispensable fundamento de todos los poemas del género, desde el primero y más augusto de todos. Atraviesa un valle feroz, poblado por la fauna habitual de búhos, áspides, y surcado su aire por las voces de las arpías. La noche cierra, crecen los alaridos, se adensa la atmósfera de terrorífico misterio y el cuitado poeta la pasa en lecho de peñas. A la mañana siguiente descubre un castillo, sin guardas ni cortesanos. En una larga cámara hay siete doncellas, las siete virtudes. Cada una toma la palabra y alaba al difunto marqués por su excelencia en cumplir sus respectivos dictados. Luego convienen todas, otra vez, en sus fieros alaridos de duelo. Nueva doncella aparece en escena: la virgínea Poesía. Viene en busca de Gómez Manrique, a encomendarle que haga el elogio del Marqués, que le rindió tan férvido culto en vida. En espaciadas razones con las que se declara incapaz e indigno de misión tan alta, se disculpa don Gómez con la virgínea doncella Poesía, y la remite a un caballero del reino de Toledo, lo bastante sabio para tomar a su cargo el elogio del gran poeta muerto: es Fernán Pérez de Guzmán. En esta conversación, por supuesto, hay numerosos pasajes que en realidad constituyen el verdadero encomio que don Gómez se excusa de hacer. La

Poesía sigue el consejo dócilmente y se marcha en busca del noble viejo toledano. Y las virtudes, tras de declarar que ya no se halla en España hombre en que puedan convivir las siete juntas, como lo hacían en el Marqués, despiden al poeta, que se vuelve a encontrar en su patria donde tanta falta hace el gran señor de Buitrago, recién muerto.

Como se ve, el recurso del planto llega aquí a su extremada forma. El panegírico del Marqués lo van haciendo, pieza a pieza, las virtudes, y luego lo corona la Poesía, con sus palabras. Es un encomio a ocho voces. La argucia del poeta es declararse incapaz de esa labor cuando ya la tiene hecha, a través de las ficciones alegóricas que inventa. El evidente cuidado en la composición de la obra, la solemne teatralidad de la escena en que son recitadoras sucesivas las siete virtudes, la pompa retórica de sus oraciones, son méritos que una buena voluntad podría señalar en defensa de esta ingeniosa edificación retórica, que se va alzando monótonamente, décima a décima ante nosotros, sin que llegue nunca alma ninguna a habitarla.

· LOS DOS RUMBOS DE LA ELEGÍA

En todas estas elegías que acabamos de tratar sumariamente se aprecian dos direcciones. En la una el poema apunta hacia un norte meditativo: mueve al lector hacia su propia intimidad y empuja su espíritu a la reflexión moral, hacia las consideraciones generales sobre la vida y la muerte. El hecho específico de la muerte de una persona es, ante todo, resorte que pone en movimiento ese funcionar del alma preocupada. En otras, el poeta se siente llamado a erigir en honor del difunto una construcción funeraria monumental, usando materiales alegóricos, que le inspire solemne terror y al mismo tiempo admiración por el arte constructivo del poeta. La preocupación por la forma es mucho más visible que en las anteriores; pero no se pasa de la pura exterioridad. Se usan los procedimientos alegóricos de común dominio, con mayor o menor ingenio. Y se llega en ellas a una estilización máxima del *planto*, gracias a la categoría de las plañideras. Se concede primaria importancia al encomio del difunto, aunque no por eso suenan a más personales, porque se depositan sobre el muerto tales colmos de elogio, y de virtudes abstractas, que se le deshumaniza, y él también ingresa en el reino de lo alegórico. Se llora, más que a un hombre, a un compendio de excelencias, ofrecido en ejemplo sin igual a la humanidad. Pero unas y otras están muy lejos de ese tipo de elegía que se desarrolla en la época moderna, cada vez más individualizada, la que llora al muerto sin preocuparse de su excelencia o su sencillez, tan sólo por lo que representa en la vida afectiva del poeta. Las elegías medievales, aceptando el paradigma de su época, son poesía moral. Hasta esas que hemos denominado personales, y en las que se celebra con todo pormenor la figura del difunto, ensalzan no su simple humanidad, sino lo que tenía de extraordinario y descollante: son emblemas de ejemplaridad, y nos deben servir como guías de conducta. Por eso son las virtudes, y no las musas, las endecheras que lamentan la muerte de Santillana en el poema de Gómez Manrique. Parece como si el intento de gran parte de la poesía medieval arrancara del deseo de terminar con aquella oposición que se plantea, alegóricamente también, en el libro de Boecio, lectura obligatoria de la Edad Media. En la primera prosa de *De consolatione philosophiae*, el autor se describe acongojado, lloroso, y pensando en poner por escrito sus quejas. En esto se le presenta "una mujer de muy reverendo gesto", con muestras de haber vivido mucho, y sin embargo fresca y rozagante; en una mano un cetro, en la otra unos volúmenes de libros. Pero la regia señora se da cuenta de que junto a la cama del atribulado Boecio, al que ella viene a consolar, hay otras figuras femeninas: son las poéticas musas. Y arremete contra ellas, con tan torpes dicterios como el de "rameras oscuras", y las acusa de no mitigar los dolores con apropiados ungüentos beneficiosos, sino de aumentarlos con ponzoñas melosas. Su censura mayor es que no enseñan a los hombres "a vencer las pasiones que padecen". Las denigradas doncellas piérides humillan la vista y con ruborosa faz se salen de la casa. Y queda encargada del alivio del poeta la Filosofía. El empeño de muchos poetas fue reconciliar a los personajes de esta alegórica escena, hacerlos convivir; en esa convivencia las musas aceptan el papel de servir al fin altísimo de la filosofía moral. Es un episodio, entretanto, de este debate entre la concepción del arte como actividad autónoma, con su fin propio, y su consideración ancilaria, que lo ve como sirviente de más altos señores; debate esbozado en el pensamiento griego y que sigue dibujando su curso ininterrumpido por la historia de las ideas, hasta T. S. Eliot. Porque también los poetas, que ponen toda su fe en acabar, en rematar hasta la perfección su poema, parece que dudan si el poema se acaba en la pura poesía.

Es evidente que los *plantos* medievales no corresponden al tipo de llanto humano simplemente afectivo. Son más bien la traslación literaria de ese otro grado de llorar que llama B. Schwartz, psicólogo del fenómeno de las lágrimas, "llanto de pura respuesta a valores". Porque el propósito final de las mejores poesías consiste en llamar a nuestro ánimo a que, dejándose atrás al cadáver protagonista, al mero individuo, mire más allá, a lo que en él no ha muerto, porque no era suyo, a lo que sigue en pie, invitándonos a su ejercicio, a las virtudes, a los valores que en él encarnaron de momento. El muerto de estas elegías es el espectral introductor de los supervivientes al mundo sereno de la contemplación de la vida universal, de la universal muerte.

CAPÍTULO III

La Edad Media y los lugares comunes

LOS GRANDES LUGARES COMUNES, SUSTENTO DEL PENSAR MEDIEVAL

Tiempos son los de la Edad Media entregados sin parar a nobles especulaciones. Cuando los alistados en el servicio de la ignorancia y la frivolidad intelectual la tachan de atrasada y pobre, parece como que no quieren ver de ella más allá de ciertos aspectos de la servidumbre feudal, y de algunas escenas pintorescas donde el alquimista hace el papel de caricatura risible del empeño científico. Las anteojeras de rutina mental y desconocimiento cultivado con que se acercan a mirarla les privan de la vista de lo que está tan a la vista de toda mirada intelectualmente honesta: su trágico esfuerzo por conciliar los valores de dos mundos, su faena de reconstrucción de una humanidad deshecha con el Imperio Romano, su lenta reinvención de la literatura, su persistencia en el pensar filosófico, sus prodigiosas creaciones en el arte. Ignoran, contumazmente, esa sagacidad especulativa, que gira, siglo tras siglo, en torno a unos cuantos temas ideales, y que proporciona a los hombres unas bases de conducta en la vida, sobre las cuales pueda irse elevando la realización de aquellas magnas empresas recién enumeradas. De nada sirve que los maestros de la filología medieval, en Alemania, Francia, Inglaterra, Italia, España, hasta en la nación sin Edad Media, los Estados Unidos, nos hayan entregado en sus libros un imponente conjunto de realidades, tan comprobadas como el peso específico del hidrógeno. Esa actitud es fenómeno de limitación, tanto moral como del entendimiento, caso de invidencia, o de envidia. Por fortuna, y aparte ya de la estricta técnica filológica medieval, un notable grupo de pensadores modernos nos viene invitando a restaurar en su lugar merecido, en su plena significación cultural y humana, la obra de la Edad Media.

Cuando hoy día decimos *lugar común,* el dicho lleva siempre una punta o una causa de desdén. Se sobrentiende la referencia a algo manido y trivial, de uso multitudinario y que ya tiene gastados sus aceros de originalidad. Terreno abonado para su emergencia son los artículos de fondo de la prensa, las lecciones académicas de profesores ramplones, los discursos políticos engolados, entre otros. Se oye mucho la frasecita en labios de personas que se las dan de anovedadas en materias de pensar y adoran todos los últimos modelos lanzados al mercado de la inteligencia. Pero la Edad Media no se preocupaba por la originalidad. Es la gran época de los lugares comunes. Legados de la retórica griega, los *koinoi topoi,* de Aristóteles, transmitidos por Cicerón, *comunes loci,* donde valían por argumentos generales útiles en la discusión, vinieron a significar poco a poco algo así como puntos de vista generales sobre los grandes temas de la realidad. Los lugares comunes formaban un depósito de opiniones sólidas y fundadas, que se forjaron en los senos de la doctrina cristiana y de la filosofía, y que la masa de las gentes aceptaba, lo mismo que aceptan las débiles paredes de la catedral gótica los macizos contrafuertes, para resistir los embates de los elementos. Porque el ser humano se sentía flaco de fuerzas, débil de ánima en su sola individualidad, y sólo podía vivir apoyado por simples y macizas verdades, revestidas entonces de la autoridad de la Iglesia y de la sabiduría. Comunes eran de dos maneras, por ser los más usados y, sobre todo, porque en ellos participaban, se reunían las creencias de enormes comunidades de hombres. Puntos de coincidencia de inquietudes, de aspiraciones, de preguntas que afectaban a todos los humanos, residuo de altísimas lecciones de siglos, fueron una de las argamasas de más valía para edificar la magna construcción del mundo medieval, sujetando con su potencia doctrinal agregadora los muchos impulsos discordes que agitaban a la humanidad de esos siglos. Ellos son el contenido de una doctrina general, basada en su mayor parte en la doctrina de la Iglesia. Su validez se sobreponía a las fronteras y a los Estados del mundo; vigentes para los habitantes de todo el Occidente, ellos contribuían esencialmente a la universalidad de la Edad Media. Y tan creídos de los sabios en letras como de los ignorantes de letra, de los clérigos como de los seglares, corrían por el vasto cuerpo espiritual de la humanidad como un sistema sanguíneo que animaba todas sus partes, las más nobles y las más bajas. Este procedimiento distributivo del patrimonio moral de los hombres, que a todos se hacía llegar en proporcionada medida, se merece la más respetuosa consideración. El mundo moderno ha lanzado a la circulación un crecido número de ideas, gracias a los recursos materiales que la técnica puso a su alcance. Vive, en gran parte, como todas las eras históricas, sostenido en lugares comunes. Quizá no se apercibe, engreído por la supuesta posesión de un superior sentido crítico, de que su mal reside en la inferioridad de sus lugares comunes, en la decadencia en calidad sufrida por el lugar común de nuestros días. Es resultado fatal de un hecho en sí admirable: la multiplicación de la riqueza intelectual de la humanidad. Pero la conciencia moderna sigue insatisfecha, y muchos pensadores sueñan en una depuración del repertorio de lugares comunes—entendidos a la manera medieval—, en una mejora en su ordenamiento jerárquico, de manera que vuelvan a recobrar, en bien de la grey humana, la fuerza cohesiva que tenían en la Edad Media.

MENOSPRECIO DEL MUNDO

Esa incesante tarea especuladora, el pensamiento medieval, en lo que concierne a la conducta del hombre en la tierra, se mueve en torno a unos grandes lugares comunes. Uno de ellos, el de la muerte. Esos lugares comunes, entrañados como están en la vida de los hombres, se vuelven materia literaria,

tema de arte. Nacen las cristalizaciones poéticas de esas ideas tópicas, que salen ya de la esfera del puro pensar y entran en la creación de forma estética. Así acabamos de ver cómo en la literatura española del xiv y el xv se produce esa cristalización del pensamiento de la muerte. Pero hay otro lugar común tan poderoso como ése y estrechamente asociado con él. Es el *De contemptu mundi*, o menosprecio del mundo. Ch. S. Baldwin, en su libro sobre la retórica medieval, trae un dato demostrativo de lo firmemente situado que estaba el tema en el centro de las preocupaciones medievales, y de cómo se procuraba mantenerle vivo, mediante la predicación. En un manual para uso de predicadores escrito al final del siglo xii por Alain de Lille o Alanus de Insulis, *Summa... de arte predicatoria*, se propone como asunto ejemplar de sermones el menosprecio del mundo; el autor toma por texto básico el "vanidad de vanidades", alega autoridades adicionales como la *Epístola a los romanos* y el poeta Persio; y, dividiendo el tema en tres partes, da largas explicaciones para su mejor tratamiento. Cuando se crea en Francia un género de sermones en verso como los "Vers du Jugement" o los "Vers de la Mort" destinados a un público de legos, su objetivo capital, según nos dice Gaston Paris, es desarrollar los fundamentos de la enseñanza cristiana, especialmente la vanidad de esta vida. Si se considera esto como una especie de estratificación académica del tema, podemos volvernos a otro texto, precioso entre todos en el siglo xiv, donde el *menosprecio del mundo* se capta en estado de plena, de dramática vida.

EL SECRETO DEL POETA: SAN AGUSTÍN
DESENGAÑA A PETRARCA DEL AMOR Y LA GLORIA

Poco antes de su coronación en Roma, Petrarca aludía a
ella en estos términos, en una epístola dirigida al obispo de
Lombez: "Quizá me pregunte V. si el laurel va a hacerme
más sabio o más bueno. ¿De qué sirve todo este aparato de
hojas? ¿Quiere V. que le conteste? La respuesta está ya en
las palabras del sabio hebreo: Vanidad de vanidades, todo
vanidad. ¡Pero así somos los hombres!" En estas pocas líneas
de una carta apunta ya el nacimiento de ese libro que
el poeta escribió apenas pasados dos años de su teatral coronación en el Capitolio, y al que llamó *Secretum meum*.
No quería, según dice el prólogo, ponerlo junto a sus otras
obras: ésta era para él sólo, no para los hombres, y, nacida
de la más honda intimidad de su alma, nunca debía salir de
allí. Hasta qué punto sea cierto ese designio de no dar
jamás ese escrito a la publicidad, no lo sabemos: frustrado
está, de todos modos, y hoy poseemos, en el *Secreto mío*,
una obra de excepcional valor en la historia de la literatura
de *confesiones*.

   ¿Con quién se confiesa Petrarca? Con su propia conciencia, pero desdoblada en su personaje que inventa, con objeto de dar a su confesión la forma dialogada, y que es nada
menos que el maestro de todas las confesiones, San Agustín.
El libro se compone de tres diálogos, y Petrarca confiesa que
adopta el método de Cicerón, citando al paso otro maestro
del diálogo, Platón. Ya empieza por ser sumamente indica-
tiva de la situación de Petrarca, vuelto a dos mundos, el
de las letras paganas y el del alma cristiana, que para hacer
hablar a un gran santo, y para desahogar todas las angustias
de su conciencia cristiana atribulada, echa mano, con toda
deliberación, de un género literario ilustrado hasta la emi-
nencia por los escritores de la paganía. A los diálogos asis-

te, como muda señora, la Verdad, signo de que bajo su amparo se ponen todas las cosas que allí se digan por el poeta.

Apenas entra en el primer diálogo el acusador, San Agustín, habla de la necesidad de mediar frecuentemente en la muerte, como el más seguro medio de apartar las tentaciones del mundo. Pero esa meditación, que no sea superficial: debe llegar, aconseja el santo, hasta los huesos, y hasta el centro del corazón. Al reiterar, unas páginas más allá, este aviso, señala como otra ventaja de la meditación en la muerte el que sirve para elevar el alma humana a las cosas supremas. La realidad más tremenda de todas las tremendas realidades es la Muerte. El hombre debe representar su efecto en las distintas partes de nuestra envoltura corporal, el frío en las extremidades, el dolor de costado, los ojos hundidos, la espuma de los labios, la sequedad del paladar.

El segundo diálogo empieza con un *desengaño,* a cargo de San Agustín, de los supuestos bienes del mundo. De nada sirve la belleza del cuerpo mortal; ni tampoco le gana en valer la sabiduría o la elocuencia. ¿De qué aprovecha haberse aprendido las órbitas de los astros, las virtudes de la naturaleza, si uno se ignora a sí mismo? ¿De qué el aplauso de los demás? El hombre vive en su cuerpo como una prisión; solemne necedad es adornar su mazmorra, pintar y exornar su paredes, en vez de aguzar el oído esperando los pasos del que venga a liberarla. San Agustín se recrea luego en una minuciosa descripción de las miserias del ser humano, clásico lugar común, desde que nace desnudo, lloroso, sin saber apenas arrastrarse, hasta que a través de tribulaciones y debilidades sin cuento, incapaz de señorearse a sí mismo, cae en una de las mil trampas que le tiende la Muerte. Confiesa luego Petrarca algunos de sus vicios, pecados de cólera, de concupiscencia. Y donde más interés cobra la confesión es al detenerse en "esa plaga del alma", la melancolía, que los modernos llaman *accidie,* y que antaño solía llamarse *aegri-tudo.* El poeta se declara sujeto a ese pecado, y en los detalles de su confesión se ha tomado pie para anticipar, en pleno siglo xiv, la realidad de ese estado de ánimo que cinco siglos más tarde se denominaría *le mal du siècle,* la enfermedad romántica. San Agustín, con su implacable severidad fiscal, señala ya en su confesado dos propensiones muy usuales en los artistas modernos: la queja de que la fortuna le es injusta, cruel, y una cierta exquisitez, manifestada en una agudización de la sensibilidad ante las molestias de la vida ciudadana. "Vivo en la más desordenada y triste de las ciudades... ¿Qué pincel podría pintar ese espectáculo nauseabundo, calles infectas, cerdos sucios, perros ladradores, tumulto de carretas rozando las paredes, carruajes de cuatro ruedas precipitándose a la vuelta de todas las esquinas, la abigarrada multitud de gentes, pordioseros por enjambres y a su lado el insolente lujo de los poderosos... el clamoreo incesante de sus confusas voces, mientras los transeúntes se dan empujones unos a otros, en las calles?" Todo esto, según el poeta, destruye el alma, aleja la serenidad. San Agustín, poco dado a melindres, le repone, apoyándose en Séneca y Cicerón, que el peor tumulto es el interior, y que si se logra la paz de dentro el bullicio del mundo apenas tocará al ánima.

Después de haber batallado en este diálogo con algunos de los males del alma que afligen al poeta, San Agustín se dispone al ataque, en el diálogo tercero, de los dos enemigos más poderosos. Lo grave es que el poeta no los mira como hierros y cadenas que le sujetan, sino como un tesoro del que vanagloriarse. Y cuando Petrarca pregunta el nombre de esas cadenas, se oye decir, asombrado, que son el amor y la gloria. "¿Cadenas, ésas? ¿Y me las quitarían si yo me dejara?", repone. Aquí empieza la faena más ardua del gran confesor. Petrarca se defiende desesperadamente. Asegura que Laura, la amada, le ha hecho ser todo lo que es. Al contrario, "ella ha apartado tu ánimo de amar a las cosas celestes y

ha inclinado tu corazón a amar a la criatura más que al Criador", truena el santo. No quiere a la criatura por amor al que la hizo, sino que admira al artífice divino por haber fabricado tan hermoso objeto de amor. Intenta el poeta parar los golpes dialécticos de su acusador, pero se le siente ya rendido, vencido, por la fuerza de razonar. Y de allí pasa al otro de los grandes cargos: "Buscas ávidamente la alabanza de los hombres, quieres dejar un nombre inmortal". Petrarca confiesa humildemente que es verdad. San Agustín se embarca en un largo y bien pensado vejamen de la gloria. ¿Cómo Petrarca, que aborrece los modos del común rebaño de las gentes, su conducta, aprecia ese aliento de la multitud que es la gloria? "Mortal soy, y alabanzas mortales deseo", dice Petrarca. El santo le da por perdido al oír eso, pero no ceja en su empeño suasorio. La gloria es tan mortal como todos. Muere de tres clases de muerte: la primera en los cuerpos de los que alaban; la segunda en la memoria de las gentes; la tercera en la pérdida y desaparición de las obras mismas en que se fundan los títulos a la fama. Sí, el hombre debe tener ambición, pero es ambición de virtud; y la gloria, a lo sumo, vale como la sombra que la virtud hace detrás de sí. Vuelve al final del libro la misma admonición con que le vimos abrirse: "Aparta de ti todas esas cosas, toma por fin posesión de ti mismo... e ingresa en la meditación de tu último fin, que se acerca paso a paso, sin que tú te apercibas. Arráncate el velo, disipa las sombras, y pon la mirada tan sólo en lo que viene". Y todavía se alega, como si ese precepto cristiano necesitara algún apoyo de bocas de pagano, la sentencia de Cicerón: "La vida del sabio es toda una preparación para la muerte". El diálogo y la obra terminan con la visión de un Petrarca convencido por la potente argumentación agustiniana, pero acaso, así se siente entre sus palabras, incapaz de energía suficiente para transformar su convicción en norma absoluta de vida.

Por dondequiera que se le mire, el *Secretum meum* rebosa interés. Se le ha mirado como una tentativa para dar con un terreno común en que se concilien el amor a los clásicos paganos, pasión de Petrarca, con la fe y la práctica del cristianismo. Pasa también por documento de esa doble vida del alma, enamorada en dos direcciones, de donde sale el hombre dividido moderno. Lo más asombroso en él es la lucidez de ánimo del poeta para revestir de esa suficiente objetividad, de esa noble dramatización, el tremendo conflicto de su conciencia sola, que se alza contra sí mismo, y que señala, sin compasión, allí donde él veía sus dos mejores motivos de vida, su poesía amorosa a Laura y su amor a la gloria inmortal, dos llagas abiertas de su incurable flaqueza de hombre. La dignidad literaria de la obra dejará a muchos de sus lectores la impresión de clásica serenidad; pero se siente por entre las citas de estoicos y académicos, por entre las mesuradas ondas retóricas del diálogo, torturas y angustias del alma, dudosa y descontenta, que no sabe vivir en paz con lo que tiene, ni sin ello.

Para nuestro objeto el valor del *Secretum* es altísimo. En algunos manuscritos se titula *De contemptu mundi*. Y eso es, en realidad. Es el lugar común del menosprecio del mundo, humanizado, puesto en pie en el alma de una criatura humana de la más excelsa calidad, convertido en motivo de meditaciones y angustias. La oposición entre sensualidad y ascetismo, entre valores del mundo y valor del trasmundo, el consejo incesante de la doctrina cristiana de despreciar los unos por el otro, no eran un texto muerto, fórmula repetida de púlpito en púlpito, de tratado en tratado: eran vida pura. En ese conflicto el hombre se vivía trágicamente. Ningún asunto mejor para que el ser humano se representara a sí mismo proyectado en un interminable drama, de variadas peripecias: tentaciones, resistencias, pecado, arrepentimiento, que tenía por grandioso desenlace el destino final, la salvación o la condena eternas. Y a Petrarca se le debe la conservación, en esos tres admirables diálogos, del testimonio más puro, de lo profundamente operante de lo ahincadamente vital, de ese lugar común que por otra parte se ofrecía casi como un tema académico en el manual de predicación de Alain de Lille. Y es que las verdades existen, como la materia, en muchas formas: petrificadas, inermes, en el mineral, fluidas y corredoras, como en el arroyo, o invisibles y alentadoras, como en el aire que se nos entra por los pulmones y da respiro, más allá del cuerpo, a las potencias del alma. Razón tiene el escéptico positivista si mira a ese gran tema del menosprecio del mundo como una fórmula inerte, cuando la encuentra en un manual. Pero no menos la tiene el que la halle, asombrado, como impulso ardiente de la más intensa vida del alma en las obras de arte del hombre.

EL MENOSPRECIO DEL MUNDO, POETIZADO

Ya en el primer poeta culto, en Gonzalo de Berceo, aparece formulado a mediados del siglo XII poéticamente uno de los aspectos del tema: en este mundo todos somos pasajeros:

> *Todos somos romeos que caminos andamos.*

El curso de la existencia humana, nuestra extrañeza en esta tierra que llamamos nuestra, la afirmación de que sólo dura lo de arriba, se resumen en cuatro versos:

> *Cuanto aquí vivimos, en ageno moramos,*
> *la ficança* durable suso la esperamos,*
> *la nuestra romería estonz la acabamos*
> *cuando a paraíso las almas enviamos.*

Juan Ruiz, nada menospreciador del mundo y de sus placeres, no puede por menos de conformarse a los tiempos, y

---

* *ficança*: 'permanencia'.

asegura formalmente, al principio de una de las partes de
su poema, que "todas las cosas del mundo son vanidad,
sinon amar a Dios":

> *Como dize Salamo e dize la verdat,*
> *que las cosas del mundo todas son vanidat,*
> *todas son pasaderas, vanse con la edat.*

Aquel grabador de conceptos morales en mínimas table-
tas, en sus *Proverbios*, el judío Sem Tob de Carrión, califica
al hombre entendido por su capacidad de darse cuenta de lo
fugaz del bien del mundo:

> *Sabe que de la riqueza*
> *pobreza es su cima,*
> *y que bajo de la alteza*
> *yace muy honda sima.*
> *Sabe si el mundo alaba*
> *cosa, o por mejor nombra,*
> *que muy aína se acaba*
> *y pasa como la sombra.*

La parte corporal del hombre es menospreciada con graciosa energía expresiva: no vale más que un mosquito, en
cuanto la abandona el alma que la animaba:

> *Y más que un mosquito*
> *el tu cuerpo non vale*
> *desque aquel esprito*
> *que lo mece, de él sale.*

Como ejemplo toma a un fantástico don Lope, un día
poderoso y ahora pasto de la gusanera:

> *Do yaz muerto don Lope,*
> *que mil veces sería*

> *tu señor, y gusanos*
> *comen de noche y día*
> *el su rostro y sus manos.*

El gran *corpus* de moralismo poetizado del siglo xiv, el *Rimado de Palacio*, del Canciller López de Ayala, prodigador de consejos, lo mismo a príncipes que a pecheros, en el pasaje titulado "Consejo a toda persona" reitera las usadas acusaciones contra el mundo: es engañoso, todo lo suyo pasa, sus promesas jamás se cumplen:

> *Ca cierto no devemos tener gran esperanza*
> *en deleites del mundo ni en la su bienandanza*
> . . . .
> *El que Dios amare debe aborrecer*
> *este mundo engañoso que ha de falleçer*
> *e como vil cosa le debe parecer*
> . . . .
> *Lo que el mundo promete tengámoslo en nada.*

Naturalmente, a estos avisos sigue el casi siempre correlativo al tratar el tema, rechazar el veneno mundanal y volver los ojos a la gloria única:

> *Si tal veneno tirares tu alma folgará*
> *por cobrar noble gloria, siempre deseará*
> *la que nunca fallesció ni nunca fallescerá.*

1. Cancionero de Baena

En varios poetas del *Cancionero de Baena*, puente que une la poesía del siglo xv con la del xvi, el gran lugar común prosigue su marcha, muy al ras del suelo retórico y sin levantar el vuelo casi nunca por encima de la expresión formularia: se llama a éste nuestro "mezquino mundo finable" y sus codicias "falibles y menguadas" en una poesía de Gonzalo Martínez de Medina. Él mismo, en el título de otro *decir*, anuncia que se prepara a exponer "cómo este mundo es muy fallecedero, e dura poco e para en pena".

Hay un poema que figura como anómino, número 340 en el *Cancionero*, y que se atribuye a Juan de Mena por Foulché-Delbosc, sobre "la gran vanidad de este mundo". Lo primero que se le reprocha es la inseguridad:

> *Non es seguranza en cosa que sea,*
> *que todo es sueño e flor que peresce*
> *contiene en su seno puras vanidades.*

El mundo está:

> *Parésceme nada e fecho muy vano,*
> *lleno de locura e gran devaneo.*

El hombre ciegamente se entrega a ellas, y por ellas descuida las únicas faenas importantes, las obras divinas:

> *E vemos el mundo ser vanidad pura,*
> *el nuestro juicio y seso y potencia*
> *del todo lo damos a esta locura:*
> *de obras divinas non avemos cura,*
> *e en vanaglorias e insaltaciones,*
> *cobdicias, engaños, mentiras, traiciones,*
> *pasamos el tiempo con grand apresura.*

Uno de los autores de más interés, dentro de su rango de poeta secundario, del *Cancionero* es Ferrán Sánchez Calavera, muy dado a la poesía meditativa sobre la mortalidad y el desprecio del mundo. La vida de la tierra, dice en un poema, se reduce a un *casi*, las gentes ignoran su origen y su fin, y si se exceptúa el tiempo dado a la oración, todo es sueño:

Tan poca es como si fuese ninguna
la vida del mundo en que bevimos.
Non sabe dónde imos ni dónde venimos
el viejo, el mozo, el niño de cuna;
todo es sueño e sombra de luna
salvo el tiempo en que a Dios loamos.
E todo lo ál es burla en que andamos.

En el *decir* siguiente, "sobre el mundo e sus vanas maneras", se mira el poeta desorientado, sin salida para su inquietud de alma:

Non puedo fallar carrera nin vado,
puerto seguro, escala nin rama...

Otro poema sobre las tribulaciones de la tierra plantea la constante polaridad de los dos mundos, y reafirma que la tristeza es el fin en que dan todos los placeres:

Asaz poco seso es omne olvidar
las cosas altas que son duraderas
por estas bajas e fallescederas
que segunt el feno se han de secar;
que a esta vida pobres venimos
e pobres e tristes de ella partimos,
pues tal plaser es el que sentimos
que todo en tristesa se ha de acabar.

Alfonso Álvarez Villasandino, en una de sus fases de ascetismo, se entrega al vejamen del mundo, sin mayor variante que la que proviene de la ligereza del metro octosílabo que usa:

¿Qué se fizo lo pasado?
¡Valme Dios, qué falso mundo!
. . . .

> Sueño es e muy pesado
> todo lo que vi e que veo...
> Fallo que es gran devaneo
> e pensar desordenado.

Alegando la autoridad salomónica, vuelve a comparar la fugacidad de los bienes temporales con el rocío de la pradera:

> Salomón, sabio probado,
> lo dijo, et es verdat:
> que todo es vanidat
> este mundo atribulado,
> vida, riqueza, estado.
> El que más o menos peca
> así se traspasa o seca
> como rocío en prado.

2. Santillana y Gómez Manrique

Cuando Gómez Manrique escribe sus *Coplas* para el contador regio Diego Arias de Ávila, lo que en realidad ofrece a su amigo es un discurso poético sobre el menosprecio del mundo, sembrado de consejos y prevenciones contra sus peligros. Por eso este poema representa como pocos el lugar común de que tratamos, poetizado. Serían de citar casi todas sus estrofas. La fugacidad de los bienes temporales aparece y reaparece en la obra como una deliberada *vuelta* o *ritornello*, y siempre unida a la misma metáfora:

> El tiempo de tu vivir
> no lo despiendas en vano,
> que vicios, bienes, honores,
>   que procuras,
> pásanse como frescuras
>   de las flores.

Más adelante, y especificando el símil floral:

> *que todas son emprestadas*
> *estas cosas*
> *e no duran más que rosas*
> *con heladas.*

Y de nuevo, en la despedida, trocando, ahora, la flor por la planta de donde nace:

> *ni con bienes temporales,*
> *que más presto que rosales*
> *pierden la fresca verdor.*

He aquí la calificación de la existencia humana:

> *de esta trabajosa vida*
> *toda llena de miserias,*

de la cual el hombre no ha de llevarse nada consigo, más que el sudario:

> *que cuando te partirás*
> *del mundo, no levarás*
> *sino sólo la mortaja.*

La ligereza en el mudar de las cosas es la mejor prueba de vanidad:

> *los deportes que pasamos,*
> *si bien lo consideramos,*
> *no duran más que rociada.*

En otra larga composición donde se mezclan la prosa y el verso, dirigida a la Condesa de Castro para fortalecer su ánimo contra los casos de adversa fortuna, el poeta identifica el mundo y lo corporal con las pasiones malas:

> *Crió Dios el mundo con las condiciones,*
> *señora, que vedes, e a los mundanos,*
> *los cuales vestiendo los cuerpos humanos*
> *vestimos con ellos amargas pasiones.*

El "río mundano" lo navegamos todos en navíos de la misma madera, y todas las pompas y prosperidades que en su curso nos encontremos

> *no duran más que el blanco rocío.*

La persona de "seso reposado" y gran corazón no debe temer a las contrariedades, ni sorprenderse ante ellas, ya que los dolores, al igual que los placeres de este mundo, son de condición ligerísima y fugitiva:

> *...estos que nos llamamos dolores*
> *e todos deportes e gozos mundanos*
> *más presto se pasan que sueños livianos*
> *o que los vientos por altos alcores.*

Este gran lugar común de aquel tiempo no podía estar ausente en la obra de los poetas que mejor significan la actitud espiritual del siglo xv, Santillana y Gómez Manrique. Al rodar en el cadalso la cabeza del gran condestable don Álvaro de Luna, despertó innumerables ecos morales en las letras de su tiempo. Santillana escribe movido por el sin par suceso su *Dotrinal de privados,* y allí hace hablar al ejecutado, que dirige a las gentes, en ponderosas frases:

> *Vi tesoros ayuntados*
> *por gran daño de su dueño:*

> *así como sombra o sueño*
> *son nuestros días contados.*

Ofrécese el Condestable en lección a todos, desde la ultratumba:

> *Abrid, abrid, vuestros ojos,*
> *gentíos, mirad a mí:*
> *cuanto vistes, cuanto vi*
> *fantasmas fueron e antojos.*

Las riquezas y posesiones, vistas desde el otro lado de la vida, se muestran en toda su inanidad:

> *Agora, pues, ved aquí*
> *cuánto valen mis riquezas,*
> *tierras, villas, fortalezas,*
> *tras quien mi tiempo perdí.*

Apela el poeta a la pregunta retórica:

> *¿Qué se hizo la moneda*
> *que guardé para mis daños,*
> *tantos tiempos, tantos años,*
> *plata, joyas, oro, seda?*

Y termina la estrofa con una imprecación a este mundo que a todos vence con sus artimañas:

> *Mundo malo, mundo falso,*
> *non es quien contigo pueda.*

El mundo nos halaga, nos pone al paso la tentación, dice Gómez Manrique, pero, ¿para qué?:

> *que este mundo falaguero*
> *es, sin duda,*
> *pero más presto se muda*
> *que febrero.*

Gómez Manrique corona el tratamiento del tema con la corriente oposición de lo terrenal y lo celestial, y, conforme al uso, exhorta a su amigo, Diego Arias de Ávila, a no perder lo uno por lo otro:

> *Pues si son perecederos*
> *y tan caducos y vanos*
> *los tales bienes mundanos,*
> *procura los soberanos,*
> *para siempre duraderos.*

Este poema es, sin duda, de todos los que hemos reseñado, el de mayor condensación de pensamiento en torno al gran lugar común. Don Gómez va convocando concepto tras concepto, cada cual más grave que el otro; pero para compensar esta pesadumbre conceptual se sirve de un metro que fluye con ligereza y entreteje, con la abstracta sequedad de las sentencias, frescas metáforas. Así se remata la poesía del menosprecio del mundo, lentamente perfeccionada, desde aquellos primeros pasos que dio en los alejandrinos de Berceo, en el siglo XIII. La Edad Media no tenía prisa. Dos siglos se llevó en decir lo mismo, en el tránsito pausadamente mejorativo, de la expresión inmediata de una idea moral en verso, en la voluntad de poetizarla, en su conversión en poesía.

LA GRAN RUEDA DE LA FORTUNA

Este tópico del menosprecio del mundo señorea, sin comparación en su imperio con ningún otro, todo el mundo de la Edad Media. Él es el eje sobre el que giran todas las ideas de los hombres sobre su vida, la tierra en que se vive y los actos en que es vivida. Ejercicios espirituales de desengaño e iluminación de la conciencia, que acumulan los dicterios sobre este mundo, sin temor a dejar al hombre atenazado en la desesperación, puesto que el propósito de esa campaña de rebajamiento es ensalzar más y más las promesas contenidas en el mundo ultraterrenal; el vejamen de esta vida supone, leído entre sus amargas líneas, la glorificación de la otra. En esa formidable empresa dialéctica de siglos, encarnada como hemos visto en la poesía española desde sus primeros alientos, el argumento que más pródigamente se maneja contra lo mundano y sus bienes es su fugacidad. Con pasar la vista por las citas que acabamos de ofrecer al lector, basta para ver surgir de los versos una serie de calificativos que se juntan todos en torno a la misma idea: los bienes del mundo no son permanentes, no duran; no hay en ellos "seguranza"; todas las cosas de la vida son emprestadas; perecedero, caduco, fallescedero, pasadero, van repitiéndose, en apretado caer como de lluvia fina e incesante, sobre esta tierra de los hombres. ¿Y quién es el autor, o agente de este interminable pasar? ¿Quién, con su actividad infatigable, empuja las alegrías y las riquezas, apenas son, al no ser? Dos de esos agentes de esta gigantesca empresa de deshacer se nos aparecen en seguida: tiempo y muerte. En este sentido podría decirse que el tema de la muerte, en tanto se la toma—y así ocurre en la poesía medieval casi siempre—como prueba demostrativa de lo fugaz de dichas y bienes, no es un tema originado; se le trata tan copiosamente como un refuerzo dialéctico, de suma capacidad emotiva y de incomparable energía de impresión sobre las almas, del otro tópico, el verdaderamente primario, del menosprecio del mundo. Es la muerte la que se lleva de calle, brutal e inesperadamente, todas las galanuras, las posesiones de este mundo; ella demuestra que el hombre no posee nada que no esté expuesto a írsele, con la vida que la muerte le quita, de entre las manos. La lite-

ratura medieval se apropia este tema dialéctico, insiste más
y más sobre él, lo va cargando de potencia poética; y por fin la
especulación se trasmuta en poesía. Volando en los versos sale
del capullo de la meditación ascética el poema, la mariposa,
que vuela ya por su cuenta. Escapa esa poesía de la muerte
del terreno de lo argumental estricto—donde latía, sujeta—, y
planea suavemente, ya en los aires de la pura creación.

En este despojo de sus transitorios bienes que sufre el
hombre hay otro factor muy importante. Gómez Manrique,
en su poema a la Condesa de Castro, habla de la breve du-
ración de las cosas del mundo y dice de ellas:

> *Ca nunca las deja estar en un ser*
> *esta fortuna de quien vos quejáis.*

He aquí en escena otra activísima colaboradora del tiempo
y de la muerte en esas operaciones de arrebatar a los mortales sus dulzuras y riquezas de la tierra. Ya están completos
los tres sirvientes más fieles de esa empresa de menosprecio
del mundo, los tres incansables. Porque si el tiempo no para,
si la muerte no descansa, tampoco se está quieta un segundo
la rueda de la Fortuna. De seguro que en algunas atribuladas
imaginaciones de la Edad Media, atormentadas por la cogi-
tación sobre el destino humano, esas tres grandes figuras sim-
bólicas de otras tantas tremendas realidades debieron de aparecer al modo de tres gigantescos pastores, que empujaban a
la grey de los humanos hacia el desengaño de todo lo terrenal;
tres fantasmas, invisibles y siempre al lado, cuya voz se sentía
amenazadora, aun en los momentos esos en que las apariencias del mundo fingen las formas más engañosas de la alegría
y la confianza.

¿DIOSA O SERVIDORA?

En su libro sobre la diosa Fortuna en la literatura medieval
nos cuenta H. R. Patch uno de los episodios de las luchas

del espíritu medieval por asimilarse los valores que heredó del
mundo antiguo. En Roma la Fortuna es diosa, y como tal
se le rinde culto. Pero ya los estoicos oponen a su inseguridad
la confianza que proporciona el ejercicio de la virtud, contra la que ella no puede nada. La Iglesia pelea con esta enemiga, y sus Padres, desde Lactancio en adelante, la niegan. Pero
otra corriente procura conciliar, obedeciendo a una dirección
típica del pensamiento salvador medieval, la existencia de la
Fortuna con la creencia cristiana.

Boecio, autor de lectura frecuentadísima, fuente de meditación y seña de conducta para toda la Edad Media, en
una parte, el libro segundo, de su *Consolatione*, parece admitir la existencia de la Fortuna, y toma la posición netamente
cristiana contra la revolvedora diosa, esto es, rebajar o negar
el valor de sus transitorios dones. "Aunque los bienes cadu-
cos que la Fortuna reparte fueran menos transitorios, ¿qué
hay en todo cuanto da que pueda jamás ser vuestro, que no
sea muy vil si con prudencia se mira?" Y disimulándose so
capa de ironía, añade, más adelante: "¡Oh gran bienaventuranza de los bienes de la Fortuna, que a cualquiera que los
posee privan de estar seguro!" Pero en el libro quinto la
maestra Filosofía, percibiendo la incompatibilidad entre el
poder de la Fortuna y el de Dios, decide: "... yo digo que el
Caso (o sea, la Fortuna) es nada y que es sólo vocablo, sin cosa
a quien esté puesto; porque si gobierna Dios y rige todas las
cosas, ¿qué lugar habrá en el mundo do tenga poder el Caso?"

De aquí arranca la hermosa visión dantesca que se nos
ofrece en el Canto VII del *Inferno*. La Fortuna es guía
y administradora de los esplendores mundanos, puesta a
ese oficio por Aquel cuyo saber trasciende a todo. Injustos
son los que la zahieren y la insultan. Aunque por eso no se
turba su angélica serenidad: en serenidad la vemos, no
como en tantas otras figuraciones, con rostro fiero y acciones
implacables, pura y hermosa:

Ma ella s'è beata e ciò non ode:
con l'altre prime creature lieta
volve sua spera, e beata si gode.

Boccaccio es en cambio el gran dramatizador de la Fortuna. Su libro, conocidísimo por aquellos siglos finales de la Edad Media, podría llamarse, según Henri Cochin en sus *Études italiennes,* una "historia de la Fortuna". Empieza con Adán y Eva, y hace desfilar a varones y mujeres ilustres que fueron derrocados por la Fortuna. Asume ésta categoría de empresaria y promotora de tragedias humanas, los famosos *casos,* o caídas. Es la Fortuna "trágica". De cada historia, o *caída,* sale un vaho de ejemplo y lección. Va el hombre aprendiendo, paso a paso, cómo el orgullo y la presunción del poder son castigados, a la larga. La Fortuna se ve alistada ya entre las predicadoras del gran lugar común: vanidad del mundo, brevedad de sus hechuras.

Y así sigue por la Edad Media la Fortuna presumiendo de diosa, acaso, de señora absoluta, pero usada en un papel ancilario por la doctrina cristiana, que halla en sus malas acciones un dilatado campo donde crecen argumentos y argumentos para menospreciar el mundo.

Porque, aun suponiendo que se sienta dadivosa, y hasta generosísima de mercedes, a sus ratos, ¿quién va a poner estima en dones concedidos en precario, sujetos en cualquier momento a que nos los arranque con esas mismas manos con que los otorgó? Por algo se la representa con muchas manos en las ilustraciones de códices y libros medievales. Las necesita, para dar y tomar, para quitar lo dado, para voltear sin pausa la rueda. La rueda que se convierte en simbólico instrumento de lo inseguro de cualquier estado en la tierra.

Trabaja la diosa de dos caras, hermanada en sus propósitos y haciendas con los otros dos grandes personajes, tiempo y muerte, coautores los tres de las fugacidades y caídas de las dichas humanas. Según nos dice Patch, aparece asociada con el Tiempo, en las letras medievales: "los dos asestan golpes, se oponen al hombre, elevan y derrumban". Alguna vez se la pinta con la guadaña. Y en cuanto a su parecido con la muerte también hay varios ejemplos en que está representada teniendo al pie de la rueda una tumba o un ataúd; significación clarísima de que la Fortuna arroja a sus desvalidos en la fosa de la muerte. Notable es también el cambio de su herramienta con la Muerte, en una figura en que ésta aparece dando vueltas a una rueda.

¿No va evidenciándose, a través de todos estos contactos, la estrechísima intimidad en que operan para demostrar al hombre lo pasajero de los bienes mundanales, para moverle al desprecio del mundo, muerte, tiempo y fortuna?

Por eso los vemos casi siempre acompañándose, inseparablemente enlazados, en la poesía. Están allí juntos, porque el empeño de la "moral filosofía" los juntó, con objeto de que se acrecentara así el poder suasorio de sus lecciones contra el mundo. Raros son los encuentros con una poesía confinada a uno de los tres tópicos, con exclusión de los demás. Su asociación es tan íntima en las conciencias, que apenas una voz poética se alza para cantar uno de los tres temas ya se siente el son de las sendas voces de los otros dos, que acuden a reforzar su canto. Los tres grandes lugares comunes se aúnan en su arrasadora faena, inseparables cumplidores de las órdenes del mayor de todos, que a los tres los abarca: menosprecio del mundo.

POESÍA CASTELLANA DE LA FORTUNA

Así la poesía española de la Fortuna en la Edad Media se halla casi siempre allí mismo donde encontramos la de la muerte y la del vejamen de la tierra, entretejida con ellas. Señalaremos, no obstante, algunas poesías donde se presenta con cierta autonomía, al ser tratada como tema principal.

En el *Cancionero de Baena* se ve la Fortuna sometida a debate por Micer Francisco Imperial, que en una poesía pregunta a Fray Alonso de la Monja, de la orden de San Pablo de Sevilla, qué cosa sea la Fortuna. Imperial, en sus versos, ensarta los reproches de rigor a la voltaria, e insiste en que es "discordante" con la naturaleza. La respuesta de Fray Alonso toma la defensa de la atacada. Con argumentos ya alegados en Boecio, por la propia Fortuna, asegura ésta que en vez de oponerse a los designios naturales los sigue, y acaba por afirmar que "Dios es fortuna e él tiene el peso". Ferrán Manuel de Lando, con motivo de haber echado de la Corte al caballero Juan Álvarez Ossorio y a Inés de Torres, lanza a la Fortuna sus apóstrofes, acusándola de ser una de las causas de que el hombre no pueda durar en los supremos estados. Ruy Páez de Ribera, en un *decir* sobre si la Fortuna es mudable o no, llega a la consecuencia de que lo es con el rico, no con el pobre. En las personas de los desvalidos jamás hace mudanza, salvo con la muerte. En Gonzalo Martínez de Medina se da con el mejor ejemplo de la Fortuna como tema ancilario, al servicio del tema máximo del desprecio del mundo. El poeta quiere avisar al mayordomo del rey, Juan Hurtado de Mendoza, de "que este mundo es muy fallecedero e dura poco e para en pena". Y llama a la gran actriz de todas las caídas, a la Fortuna, desde la estrofa primera, para que le sirva de maestra irrefutable de la amarga lección:

> *Cata non te finjas non seas lozano,*
> *que si mirares las cosas pasadas*
> *verás que fortuna en pocas jornadas*
> *muda, trasmuda todo lo humano.*

Se entra luego por una enumeración de las "obras extrañas" de la Fortuna, esto es, de famosas *caídas*, empezada con Lucifer y acabada con el antipapa Luna, "dentro en Peñíscola desaventurado". Y tras estas trece estrofas de ejemplario histórico, por fin se adviene a la consecuencia deseada:

> *Así como bestia e cosa adormida*
> *es quien no conosce lo que ante sí vee*
> *e en las mundanas glorias se revee*
> *e la perfección de Dios se le olvida.*

El poema de Fray Diego de Valencia podría añadirse a la lista que aporta Patch cuando habla de cómo la Fortuna se halla en las Cortes de los reyes y señores como un lugar naturalísimo y sumamente propicio a sus hazañas. No es ya la Fortuna, en general, el tema de esta poesía, sino su rueda, y, más particularmente, "la gran rueda del palacio" que le sirve de núcleo alegórico para exponer, en la línea que inició López de Ayala en su *Rimado,* las falsedades de la Corte, sus "furtos, robos e fullicios". La Fortuna queda localizada, y sus obras reducen su campo de acción a lo palatino. Y al final del *Cancionero* aún se pueden apuntar dos breves poesías, una de ellas precisamente escrita por una víctima real de esa Fortuna especializada, de la Corte, Fernán Pérez de Guzmán, desterrado por el rey después de años de privanza; es una pregunta que Imperial, al contestarla, califica de "oscura e sotil", y responde en el mismo tono. En ellas parece haber cierta esperanza en que el rodar de la suerte acaso vuelva a traer la buena ventura; pero todo ello envuelto en retóricas ambigüedades.

1.   *Santillana arrostra la Fortuna*

No hay poeta del siglo xv tan enamorado del tema de la Fortuna como el Marqués de Santillana. De su obra a lo italiano, quizás la de más empeño es la *Comedieta de Ponza,* amplio lienzo mural alegórico, dedicado a la derrota de Alfonso V y sus hermanos; los afectados por este desastre, sobre todo

las reinas e infantas, se quejan de la Fortuna. Allí aparece
"Micer Johan Bocacio de Certaldo", como si se le trajera en
calidad de especialista en casos y caídas de los grandes. Y,
por último, viene la misma Fortuna espléndidamente ataviada
con numerosos adornos y alhajas alegóricas, cuya descripción ocupa no menos de siete octavas. El séquito de reinas,
emperatrices y damas ilustres que ella encabeza constituye
una de las "grandes procesiones" de nombres famosos de
nuestra poesía del xv; es un "triunfo" a lo Petrarca, nombre
que Santillana reconoce como el de su modelo. La poderosa
señora dirige a las reinas una arenga, donde afirma su poder
sobre imperios, pueblos y gentes, y al final condesciende a
revelar que esta vez su rueda traerá de nuevo la buena suerte
a los príncipes a quienes fue preciso derrotar, por razones del
momento, según diría un político de hoy, al que tanto se
parece en este caso la oportunista Fortuna.

El poema resulta una apoteosis de la Fortuna, que queda
realzada en toda su majestad, con ayuda de la mayor pompa
retórica. Pero señalemos un detalle de suma significación.
En el discurso de la Fortuna, se deslizan cuatro versos que la
colocan en su verdadero lugar:

> *Yo soy aquella que por mandamiento*
> *del Dios uno e trino quel grand mundo rige*
> *e todas las cosas estando colige*
> *revuelvo las ruedas del gran firmamento.*

Queda, pues, proclamado que, por grandes que sean sus
atribuciones y poderes, ella no es señora absoluta, sino man-
dadora de Dios.

Otras *Coplas* del Marqués empiezan con dos versos que
no sé por qué me recuerdan a un Laforgue traducido:

> *De tu resplandor, oh Luna,*
> *te ha privado la Fortuna.*

Es un juego de palabras. Luna está aquí por el famoso condestable don Álvaro, el protagonista de carne y hueso más notorio de todo el siglo xv de las volubilidades de la Fortuna, héroe magno de la *caída* más resonante de Castilla en la Edad Media, y de cuyo cadalso brota una vena de versos y de prosas, compasivos o adversos, que corre sin cesar por toda la segunda mitad del siglo. Estas coplas del Marqués son de las *ejemplares*:

> *La Fortuna que ayudó*
> *a este sobir tan alto*
> *la su rueda revesó*
> *y le fiso dar gran salto.*

Aquí la diosa hace justicia. Los abusos del condestable, prolijamente enumerados en el poema, llevan su merecido con la caída y muerte del soberbio. Sanción moral, ejemplo político y Fortuna van mano a mano.

Todavía dedica Santillana otra obra, notabilísima, al gran tópico. Es el conocido *Diálogo de Bias contra Fortuna*, donde todo el enfoque del tema, la andadura del pensar poético y el estilo se oponen en contraste violento a lo que hizo en su *Comedieta de Ponza*. La Fortuna es gran dialogadora, y desde que aparece en la literatura medieval se la ve con frecuencia departir mano a mano con los mortales, o las abstracciones, y defender bravamente sus actos. Santillana le busca un interlocutor clásico, el filósofo Bias. En las primeras palabras que se cruzan está ya predicho el diálogo entero:

> Bias: *¿Qué es lo que piensas, Fortuna?*
> *¿Tú me piensas molestar*
> *o me piensas espantar*
> *bien como a niño de cuna?*
> Fort.: *¡Cómo! ¿E piensas tú que non*
> *verlo has?*

Bias: *Faz lo que facer podrás,*
        que yo vivo por razón.

Con magnífica holgura de tiempo, sin preocuparse por unas estrofas más o menos, avanza el debate entre la poseída Fortuna y el varón de virtud. Ella le va poniendo delante señales de su poderío, modos de sus tentaciones, ejemplos de su dominio. El filósofo de nada se amedrenta, con nada se persuade; se ampara en el broquel noble y antiguo de la moral estoica:

> *Ca a mí non plazen los premios*
> *nin otros gozos mundanos,*
> *sinon los estoicianos*
> *en compaña de academios.*

Hay entre los hombres un linaje nobilísimo, hermanos en él, por encima de los tiempos, Séneca y Quevedo, Montaigne y Santayana, que se han ido pasando de mano en mano, como su ejecutoria, este credo ingenuamente formado en los versos del Marqués:

> *E la biblioteca mía*
> *allí se desplegará,*
> *allí me consolará*
> *la moral filosofía.*

Todos contestarían a la amenaza de la prisión que blande la Fortuna contra el filósofo, con las palabras castellanas:

> *Pues si tal captividad*
> *contemplación*
> *trahe, non será presión,*
> *mas calma e felicidad.*

Y cuando apelara a su último y más potente argumento, el amagar con la muerte, en quien ella manda también, encontraría a todos estos varones unánimes en la réplica:

> *Mas sea muy bien venida*
> *tal señora,*
> *ca quien su venida llora*
> *poco sabe de esta vida.*

Se aprecia en Santillana toda la flexibilidad de interpretación poética a que se presta el tópico de la Fortuna. Le sirvió primero para el ostentoso despliegue histórico carnavalesco, de alegorías y reinas; revestidas, lo mismo sus personas que sus ideas, de recargadas pañerías, con toda clase de colores retóricos y pliegues elegantísimos de dicción, en la *Comedieta de Ponza*, la obra del poeta "modernista del xv" que yo veo en Santillana, el importador de las novedades extranjeras. (¿Es que no son ya modernistas, del xix en su final, y de América, estos versos: "Vestía una cota de damasco bis / de muy fina seda e ricas labores / de color de neta gemma de Tarsís / sembrada de estrellas de muchos colores", con su rima rica y sus puntas de referencia plásticas y exóticas?) Y en el diálogo con Bias la misma Fortuna le da ocasión a ascetismos sentenciosos de frase, a descarnados dibujos de pensamiento, nobles severidades a lo Giotto. El tema de la Fortuna está en la *Comedieta* visto teatralmente, en escena del mundo; en el *Diálogo*, vive por los adentros de la conciencia, es drama interior del pensamiento heroico, que habla en tono menor, y vence quietamente, sin ningún ademán de teatro, a su antagonista. Todavía en las *Coplas* con motivo de la muerte de don Álvaro de Luna, se emplea la Fortuna con otro objeto: la didáctica política, el espejo que se pone delante del privado ensoberbecido en la altura del uso y del abuso del poder, para que vea lo que hay al final de su carrera desatada, y se reporte a tiempo.

2. *La Fortuna, laberíntica.*
   Juan de Mena

Ese mismo año en que dio fin Santillana a su *Comedieta* es el que ve rematarse asimismo la obra de más empeño y ambición de esta serie de la Fortuna, el *Laberinto* de Juan de Mena, y la más conocida de todas: de composición mucho más orgánica y complicada, abundante en episodios de épica nacional, se hizo famoso particularmente por causa análoga a la fama que más tarde se atrajo Góngora, por lo arriscado, y a veces logrado, de la tentativa de dar con un lenguaje culto, suma de las aportaciones de los grandes estilos del pasado, tanto latino como toscano. Lo único que nos cumple aquí señalar es que trae alguna novedad exterior al famoso instrumento de la Fortuna, que ahora consiste en tres ruedas, la del pasado, la del presente y la del futuro, curioso caso de imbricación de los tópicos Fortuna y Tiempo. Y que, esquivando hábilmente la cuestión del reconocimiento de la existencia de la Fortuna como tal entidad independiente, a la que se refiere al principio:

> *Tus casos falaces, Fortuna, cantamos*
> . . . .
> *Dame licencia, mudable Fortuna*
> . . . .
> *Pues como Fortuna regir todas cosas,*

al llegar el momento de que se presente la gran actora en escena, la escamotea bajo el nombre de Providencia, y se corrige de su error anterior cuando va a penetrar en su morada:

> *en esta grand casa que aquí nos parece,*
> *la cual toda creo más bien obedece*
> *a ti, cuyo santo nombre convoco*

> *que non a Fortuna, que tiene allí poco*
> *usando de nombre que nol pertenece.*

Juan de Mena se acoge al amparo de esa tendencia a que ya aludimos con motivo de la prosa primera del libro quinto de Boecio. Es la *santificación,* la cristalización de la Fortuna que, como tal, simplemente, exhala tufo original de paganismo.

3. *Gómez Manrique*

Lo mismo hace el otro gran poeta del tema en el siglo xv, Gómez Manrique, cuando compone, en octavas entrecortadas por momentos en prosa, su obra de *Consolación a la condesa de Castro.* La Fortuna no es la diva del capricho, que anda suelta por el mundo jugando a placer con su rueda, sino la agente de una voluntad divina a la que calificamos erróneamente; ese nombre de Fortuna no pasa de ser una impropiedad:

> *y esta que nos llamamos Fortuna*
> *es la providencia del alta tribuna*
> *aunque los vocablos traemos mudados.*

En cuanto a posición doctrinal ante la Fortuna, coincide la de Gómez Manrique con la de Santillana en el *Diálogo;* es la del señorío estoico del ánimo. Se lo dice el autor en prosa a la condesa: "Por ende, aunque algunas veces la humanidad perseguida de los adversos casos se aflija, debe intervenir vuestro gran corazón e reposado sesso, menos preciando las tales adversidades, las cuales no son malas salvo a los que las sufren mal". Y en verso:

> *ca porque Fortuna los bienes que son*
> *de su propiedat a nosotros tire*

no es justo que nadie por ello sospire
e menos los nobles de generación.

Obra son estos casos del Señor, y por eso no se los puede
afrontar más que con la virtud cristiana del conformarse como
aconseja en el "Fin":

E vos conformadvos con el Fazedor
e vuestro querer con lo que él quiere
aviendo por bien el mal que viniere,
pues él mejor sabe cuál es lo mejor.

LA DIOSA INVENCIBLE

Cuando alguien realice un estudio a fondo de la poesía de la
Fortuna en el siglo xv, creo que llegará a una consecuencia
no muy distante de la que se saca de este modesto repaso
sumario. Si desde muy antiguo se pintó a la Fortuna con dos
rostros, placiente uno y repulsivo el otro, en el siglo xv conserva la figura análoga ambivalencia. Los poetas se encaran
ya con su semblante benigno y su porte dantesco, ya con su
faz perversa de fabricante de injusticias. Pero para mirarla
por el lado bueno, tienen que someterla, a ella, la indómita,
a un vasallaje, el de Dios, convertirla de Providencia en mandadera del querer supremo. Es otro ejemplo del deseo de situar en la magna construcción orgánica de un mundo conceptual jerarquizado—la empresa medieval por excelencia—
a esa criatura que viene desmandada y voluntariosa de la
antigüedad pagana. Una vez puesta en su sitio, purificada,
cristalizada, podrán los poetas seguir cortejando a esta imagen
a su antojo. El mundo de Roma le tributaba culto religioso,
la Edad Media no puede aceptar semejante herejía, pero,
después de humillada al yugo de la Iglesia, continúa tribu-
tándole un culto literario, ya para admirarse de sus actos, ya

para denostarlos. La energía encantatoria que tenía esa figuración de la Fortuna queda probada. Hemos visto lo frecuente de su presencia en la poesía del siglo xv, inspirando a los mejores poetas de entonces sus dos mejores obras. Se siente en los poetas la imposibilidad de enterrar, en nombre de la doctrina religiosa, un símbolo tan cargado de sugestiva magia. Es un episodio más de esa lucha inconsciente entre valores estéticos y valores religiosos o morales. El ascetismo dictaría la orden de acabar con ese ídolo, innecesario para el buen orden de la Iglesia. Pero el amor a las formas pensadas, a las creaciones de la imaginación poetizante, se oponen al sacrificio. El conflicto se zanja, como tantos de la Edad Media, por una transacción que busca la armonía de los aparentes contrarios dentro de un orden superior, y el único posible. Sin embargo, eso es en el fondo un triunfo de la Fortuna. Porque sobrevivir es siempre una victoria.

CAPÍTULO IV

La valla de la tradición

Para justipreciar la poesía de Jorge Manrique, hay que colocarla en el centro de la gran tradición espiritual de la Edad Media. No quiero referirme a las famosas *influencias,* a los igualmente famosos *precursores,* ni mucho menos a las *fuentes,* adormideras de tantas labores críticas bienintencionadas y que durante muchos años han suplantado el objetivo verdadero del estudio de la literatura. Todos estos son factores parciales, agentes menores de una realidad mucho más profunda, de mayor complejidad biológica: la tradición. En historia espiritual la tradición es la *habitación* natural del poeta. En ella nace, poéticamente, en ella encuentra el aire donde alentar, y por sus ámbitos avanza para cumplirse su destino creador. Esta vasta atmósfera opera sobre el poeta mediante un gran número de estímulos conjuntos, los cuales funcionan tan misteriosamente como lo que se llama espíritu en el organismo, y que son, por eso, imposibles de captación total ni definición rigurosa, desde fuera, y con aparatos seudocientíficos, con técnica de autopsia. Las áreas de la tradición son las únicas regiones habitables para el poeta, igual para el salvaje que recibe la tonada y las palabras de su canto del mago de la tribu, de oído, que para el escritor de nuestro Occidente que vela sobre Horacio o Baudelaire. Allí es donde crecen las varias hechuras de la creación poética, complicándose según la tradición se acrece en volumen y densidad. Fuera de esa zona no hay más que el grito inarticulado del cuadrumano, o el silencio inefable, el éxtasis glacial del que no halla palabra suficiente, porque por soberbia, timidez o miedo, no quiere juntarse al eterno grupo de los que hablaron, a la tradición.

La tradición, vasta presencia innumerable, como el aire

circunda al individuo y se entra en él, es algo que está presente en nuestra vida espiritual, igual que en nuestro existir fisiológico se hallan presentes, sin que nos acompañe en cada instante la conciencia de ellos, sin sentirlos más que por su uso, los hábitos funcionales de nuestro cuerpo. Así como no se apercibe el hombre, a no ser por propósito inquisitivo, de la cantidad de acciones que supone el inclinarse bruscamente al suelo a recoger algo que se nos cae de las manos, así la tradición sorbida en el espíritu, una ya con él, no declara a la conciencia su incesante funcionamiento dentro de la vida espiritual.

Y eso presente en nuestra alma, ¿de qué está formado, qué contenido tiene? Es lo curioso que ese presente está constituido en su mayor parte de pasado, de cosas cronológicamente pasadas, pero en plena función de vida. Podemos afirmarnos orgullosamente en nuestro presente, con la misma certidumbre con que se ahíncan los pies en el suelo. Pero conviene no olvidar que ese trozo de superficie que pisamos es la apariencia última de capas y capas terrenas, obra de millones de años: nuestro piso existe, por ellas y sobre ellas; y aunque las oculta a la mirada, las contiene a todas, a todas las presupone. La pradera suave, deliciosa, superficial, dónde se reclina nuestra fatiga, no es más que el estado presente de la tradición geológica. La tierra, poco a poco, ha ido haciendo la Tierra. En cualquier forma del espacio cultural que escoja el espíritu para asentarse se repite el caso: se vive sobre profundidades, las de la tradición.

¿Qué sabe la moza que recolecta la aceituna en un olivar de Andalucía de la copla que canta? Esas palabras que ella echa al aire, con la inocencia del pájaro, están recogidas por los eruditos, yacen en alguna compilación de cantos populares, han sido confrontadas con otras parecidas, de muchos países; se ha rastreado su antigüedad, y hasta quién sabe si estará ya probado que lo que dice esa cuarteta amorosa es desgaje de un soneto de Petrarca. La muchacha actúa de agente inconsciente y purísima de una gran fuerza, que a su vez la contiene: la tradición. Aquí es donde tengo que diferir de T. S. Eliot, que tan magistralmente ha escrito sobre este tema; es cuando dice que "la tradición no se puede heredar y que si uno la quiere tiene que ganársela con arduo esfuerzo".

LA TRADICIÓN SIN LETRA

Tengo a ese concepto de tradición por injustamente exclusivo y en exceso intelectual. Su aserto es verdadero referido a la forma suprema de la tradición, a la tradición culta. Pero nosotros los españoles hemos conservado quizá más que ningún otro país europeo a un ser misterioso, al *analfabeto profundo,* que así lo llamo para diferenciarlo del *alfabeto superficial,* producido en serie y en grandes masas por la educación moderna. El trato y la convivencia con los buenos tipos de campesinos castellanos, andaluces, de cualquier región de España, nos impone la creencia en una tradición de analfabetos correlativa de la gran tradición culta, nodriza espiritual de millones y millones de seres, y que opera por mecanismo puramente hereditario. Por lo pronto nadie nacido puede escapar a una tradición que le está esperando para alimentarle como el pecho de la madre: el lenguaje; como ya se ha dicho, en él recibe el hombre una masa de concreciones tradicionales de pensamiento y sentimiento. Hablar es insertarse en una tradición. Depende el analfabeto desesperadamente tan sólo de su palabra hablada; en ella tiene que forjarse su imagen del mundo, por ella le han de llegar las nociones del bien y del mal, con ella tiene que exteriorizar su amor o su rencor. En esos mazos de papel que son los libros todo cabe y por eso la cultura escrita puede permitirse su lujo de expansiones; su campo es prácticamente ilimitado. Pero el analfabeto no tiene más tablas ni otras páginas en que guardar su saber que la memoria. Por eso la tradición de los analfabetos que se presenta a la mirada del frívolo como cuantitativamente pobre, puede ser—aunque muchas veces no lo sea—de magnífica calidad. Cree la gente leída que los ignorantes de letra saben muy pocas cosas, y así es; pero ¡qué grandes cosas suelen ser esas pocas cosas! Si se cree, como yo, que lo importante no es conocer amontonadamente una multitud de verdades factuales, que andan sueltas cada una por su lado, sin alcanzar a coordinarse en la categoría propia de un saber, zumbando por fuera de la cabeza del individuo como un vuelo de moscas, sino tener adentradas unas cuantas creencias capitales, relativas a los puntos céntricos del hombre y de la vida, y que sepan dictar los pasos por el mundo, acaso se mire con más respeto a esa tradición analfabética. Las ideas del analfabeto son casi todas esenciales; su parvedad está más que compensada, por lo próximas que se encuentran a las fuentes profundas del ser, y por su estado de actividad directiva de la conducta. Con tan poco saber, el analfabeto sabe lo que hay que hacer. Mientras que, con las muchas cosas que saben, muchos alfabetos no saben lo que se hacen.

A este saber compendioso, a este enjuto resumen o *vademecum* intelectual, se ha llegado por un proceso de filtraciones, de destilaciones de la cultura superior, cuya operaria secular es esta tradición de los analfabetos. Impelida por la ley fatal de los límites de la memoria, de lo poco que pueden retener, ella simplifica, depura y condensa su propio contenido, lo reduce a unas cuantas nociones y creencias, pocas, sí, pero las bastantes para que con ellas los hombres, como dicen en Castilla, "se hagan una idea" de las cosas; esto es, puedan encuadrar la impetuosa fluencia de la vida entre ciertas líneas conceptuales. Por idéntico motivo, la tradición popular vive en formas concisas, o quintaesenciadas: su lírica, la copla, el romance breve; su ideario, los refranes, las sentencias; su épica, los cuentecillos o los apólogos. Las mejores y más duraderas de esas sinopsis mentales se corresponden con las grandes construcciones del pensamiento superior, como el pedrusco que cabe en la mano con la peña de la que se desgajó.

Mucho más llevaderas, más portátiles que las obras de la tradición letrada, resisten los empujes del tiempo, se difunden con ligereza, y aparecen dotadas de una particular soltura para vivir. Han sido para el alma lo que la ración mínima alimentaria es para el organismo físico: reducción a lo indiscutible de lo que el ser humano requiere para sustentar su vida. De ese corto pábulo se han mantenido bajo el amparo de la cultura cristiana occidental siglos y siglos millones de seres de esos "sin historia, que a todas las horas del día y en todos los países del globo se levantan a una orden del sol y van a sus campos a proseguir la oscura y silenciosa labor cotidiana y eterna, esa labor que como la de las madréporas suboceánicas echa las bases sobre que se alzan los islotes de la historia". Los de Miguel de Unamuno. Porque esta tradición iletrada, por hallarse todos en estado natural de recibirla y traspasarla, por dirigirse a lo más común y genérico de los hombres, se acerca al concepto unamunesco de la "tradición eterna". El tan mentado senequismo del pueblo español sospecho que vive latente, y actúa con más fuerza en tantos seres que no leyeron jamás palabras senequianas, porque no saben leer, que en otros que, a pesar de haber recibido enseñanza de lectura y llamarse instruidos, ni lo han leído ni lo leerán nunca. Este contenido de la tradición iletrada se lo *dejan* los padres a los hijos. La preferencia popular por ese verbo, para designar el legado, la transmisión hereditaria, es digna de atención; en ella se puede encontrar el carácter distintivo de la cultura iletrada. Es de todos, a nadie pertenece en rigurosa propiedad, ya que ninguno puede guardarla más allá de su memoria, que con él muere. Se la *dejan* los mayores a sus descendientes, no se la *dan* porque no es suya. La forma esencial de esa tradición está, pues, en ese ir *dejándosela* unos a otros, tipo de actividad inevitablemente hereditaria.

GRANDEZA DE LA TRADICIÓN
ANALFABETA EN ESPAÑA

España le debe insigne gratitud y reverencia. Esa tradición, favorecida, como por milagro, de una sorprendente energía creadora, se alza en los siglos xiv y xv sobre su función usual de recibir y conservar, y produce la poesía más hermosa de su tiempo, los romances *viejos*. Poemas análogos se dan en otros países, pero los de Castilla, conforme a juicio de un gran sabidor de la materia, Entwistle, de Oxford, "son insuperables en Europa por su número, vigor, influencia, intensidad dramática y veracidad". Son además únicos, por dos propiedades que los distinguen: su curiosísimo proceso de formación, por autores sucesivos, que ha dado lugar a una genial teoría de Menéndez Pidal, y el papel que representan, no ya en la historia literaria de España, sino en el curso de supervivencia del alma de España, cosa también magistralmente probada por el gran maestro de la filología románica. Sabido y reconocido está todo eso. Pero, ¿se tiene en la conciencia lo bastante claro, lo bastante asombrosamente claro, el prodigio de ese hecho: que una poesía tan rica, que es de por sí todo un mundo poético, sin falta de nota ninguna, de la trágica a la graciosa, haya nacido, haya medrado, en lo hondo de esa tradición iletrada? Ella la alumbró, ella la sostuvo, fue enriqueciéndola, y durante más de un siglo estos poemas sin par fueron de la voz a la memoria, de la memoria a la voz, vividos en vilo, sin ayuda cualquiera de la cultura letrada; sólo después de cien años perciben los cultos la valía y la originalidad de estas poesías. Hoy, gracias al estudio comparado de las versiones de los romances, hemos llegado a la convicción de que allí, en los misteriosos recintos de la tradición analfabética, se realizaban con el poema esfuerzos tan delicados y sutiles en busca de su última perfección como los que acaecen en la vigilante conciencia del poeta culto. Lejos de contenerse con el tratamiento elemental del tema, los poetas sin letra, así lo eran probablemente casi todos, sentían las fallas del poema, entreveían sus remedios, y poco a poco lo empujaban a su mejor estado. Creo que en pocos casos, quizás en ninguno, ha llegado a tan alto la calidad creadora de la tradición analfabética como en este de la elaboración de los romances. Los engreídos contemporáneos que suponen que el analfabetismo triste de hoy es igual al de otros tiempos, y compadecen a sus prójimos de la Edad Media porque no sabían leer ni escribir, creyéndoles por esa deficiencia almas muertas, espíritus estancos, muy inferiores a ellos, que ejercitan sus dotes letradas para leer las revistas deportivas, y las escrituras para componer textos de telegrama o a lo sumo cartas de negocios, harían bien en leer a menudo el romancero viejo; aunque acaso les sonrojara. José Bergamín acuñó en una de sus trágicas burlas una expresión admirable: "La decadencia del analfabetismo". Porque al analfabeto contemporáneo se le va arrancando de los manantiales de su tradición iletrada, sin ascenderle a la otra. Mientras que por su parte los alfabetos también se niegan en su mayoría a su propia y alta tradición. De modo que el mundo periclita a lo largo de dos decadencias: la de los analfabetos, lamentable, sin duda, y la otra, más dañosa aún, la decadencia de los alfabetos, la que llamó un profesor norteamericano, Huse, "the illiteracy of the literate".

Justo parece el dar su lugar a esa tradición analfabética recibida casi sin más esfuerzo que el necesario para que se nos entre dentro el habla o el aire, junto a la gran tradición del esfuerzo, de Eliot. Entre esas dos líneas paralelas, cabe todo el tránsito de los hombres por los siglos.

LA TRADICIÓN DE LOS LETRADOS

La otra, la gran tradición de los letrados, se adquiere, en efecto, por denodado trabajo. No hay que entender este trabajo como mecánica operación, sino como ejercicio aguzado y constante del espíritu en acción. Porque el trabajo no lo da todo, ni sólo por él se llega al resultado de la conciencia de la tradición; hace falta un *más* que lo ilumine. La vista no puede vivir encerrada dentro de cuatro paredes, su afán es el horizonte. Así el espíritu, en cuanto sube a un cierto nivel de potencia, necesita tenderse por los cuatro puntos. La tradición es la enorme reserva de materiales con los que el hombre puede rodearse de horizontes.

Sus componentes son cronológicamente pasados, pero el horizonte que con ellos se erige resulta todo presente. En ellos celebran sus nupcias esas dos dimensiones del tiempo: pasado y presente, que tan estrechamente se ensalzan que forman una nueva calidad temporal: eso que podríamos llamar, en lenguaje de Eliot, "the pastness of the present" o "the presentness of the past", "la pasadez del presente" o "la presentez del pasado". Conforme, pues, el espíritu del hombre ensancha su posesión de los grandes contenidos tradicionales, va creándose más ámbito donde moverse, se ve rodeado de más posibilidades de ser él mismo y de serlo por distintas maneras. Aquí sí que se impone la correlación cultura y tradición. La tradición, que sólo puede ser poseída por actos de cultura, no nos trae más conocimiento, no nos enseña más o menos cosas. El hombre inmerso en la tradición no sabe más; *es más,* porque ella, al multiplicarle las posibilidades de ser, le multiplica su potencia de ser. "Nunca se ve a los espíritus grandes temer las influencias; al contrario, las buscan con una especie de avidez, que es como la avidez de *ser*", escribe André Gide.

LA TRADICIÓN, LIBERADORA

Todavía insiste el vulgo intelectual en ver la tradición como una traba de la iniciativa del artista. Se cree que dispone de un supuesto arsenal de inmutables pretextos autoritarios, hierros y cadenas que le sujetan y donde se le queda tullida la espontaneidad. Lo cierto es que la tradición es la forma más plena de libertad que le cabe a un escritor. Su materia, las obras maestras del pasado, despliegan ante el hombre una pluralidad de actitudes espirituales, de procedimientos de objetivación, de triunfos sobre lo inanimado, de vías de acceso a la realización de la obra, ofrecido todo generosamente al recién llegado. De nada sirve una libertad que no tiene para ejercerse más que el vacío. Suponiendo que la libertad sea capacitada de elección entre esto y aquello, cuantos más *estos* y *aquellos* se le brinden, cuanto mayor sea el número de objetos disponibles y elegibles, más intensa será la conciencia de poder del artista, su soltura para escoger. Cuando el escritor de hoy se ve superior al de la Edad Media o al del siglo XVIII, el único fundamento para esa creencia está en que tiene en torno suyo más pasado literario, más tradición. La experiencia humana, materia prima del arte, lo humano total, siempre estuvo extendido ante el hombre como una tierra virgen en espera de descubrimientos y conquistas. Cada gran obra de arte es una exploración más hecha en ese territorio de lo humano eterno, poco a poco surcado por caminos que corren en direcciones distintas y aun opuestas y que sin embargo anhelan todos el mismo imposible: dar con la realidad entera de la vida. Y dejarla fijada en formas perfectas. El explorador, el artista de hoy se halla con más caminos abiertos que nunca: son los trazados por sus antecesores. Apoderarse del sentido de la tradición es ir conociendo mejor esa red, aparentemente contradictoria, por tantos cruces; saber por dónde anduvieron los demás le enseña a uno a saber por dónde se anda. El artista que logre señorear la tradición será más libre al tener más carreras por donde aventurar sus pasos. Ahí está también su trágica responsabilidad, la responsabilidad que siempre hay en el ademán del que escoge.

LA TRADICIÓN COMO CRITERIO

Pero es virtud de la tradición que conforme provee al hombre con más soluciones elegibles le adiestra la facultad de elección, le proporciona, misteriosamente, sutiles instrumentos de acierto. Los muchos criterios que conviven en la tradición son discretos y tácitos maestros de su propio criterio. Pero sobre todo, y ésa es su importancia cimera, la tradición es ella misma un criterio. Compuesta de pasado, no es todo el pasado. De serlo, quedaría reducida al humilde rango de un depósito formado por simple y pasiva acumulación. La tradición se labra sobre los vastos contenidos del pasado, a fuerza de una serie de actos de discernimiento y preferencia ejercidos sobre ellos. Nada distingue más noblemente el proceso de la tradición que su calidad selectiva que le es propia y constitucional. Según el refrán "el hombre propone y Dios dispone", parejamente en cada gran momento histórico de la tradición, en un siglo v antes de C., en un siglo xiii, en un siglo xvi, todo el pasado propone y el presente dispone. Se alza el pasado como un conjunto de proposiciones que aspiran todas a ser aceptadas por el presente. Entonces entra en movimiento la función selectiva de la tradición. Algunas de las cosas propuestas quedan confirmadas en su sitio, otras cesan, y aparecen las nuevas, a sumarse a ella. Ya ha señalado Eliot en su libro *After strange gods* el error de tener a la tradición por algo inmutable y cerrado al cambio. Creo, por el contrario, que de sus muchos beneficios uno de los mayores es el de dotarnos de un criterio de cambio. Lo cual es gran cosa. Facilísimo es cambiar porque sí, cambiar por cambiar; está al alcance de cualquiera. Esa facultad se fomenta en nuestros días como loable en todo caso, como muestra sin disputa de avance y progreso. Muy raro es pararse a pensar en el porqué y para qué del cambio. La mudanza por serlo está santificada y el hombre contemporáneo se ha inventado un nomadismo espiritual y moral superior al de los beduinos del desierto. Mudar de trajes, de casa o de moral se tiene por seña indudable de vitalidad. La tradición, en su extraño operar bivalente—alzar a permanencia lo que pasa en el tiempo y es digno de ser detenido, y a la vez tener siempre abierto a la censura del tiempo lo que se admitió como permanente—, no se deja guiar más que por una norma selectiva: lo mejor. Su sueño es el sueño de lo mejor, entregarnos lo mejor de lo que hicieron los mejores.

Si la tradición, vista así, es una actividad selectiva constante, ella, a su vez objetivada frente al nuevo individuo que se pone ante su horizonte, todo ofertas, es un objeto de selección, es un campo donde elegir. Porque, mirada atentamente su unidad grandiosa, se la ve compuesta de múltiples formas que son condensaciones particulares del mismo impulso generador. La gran tradición es una convivencia de tradiciones menores. Así hay tradiciones de la posesión del pensamiento frente a las cosas, idealistas o realistas; de estilo: clásico, barroco; de sensibilidad: estoica, epicúrea; hay tradiciones de temas, así en la dramática como en la novelística o en la lírica; las hay de forma. Hasta de hombres, de autores las hay. Petrarca es una tradición, Goethe es otra. Ninguna de estas tradiciones subordinadas vive suelta ni vale por sí sola. Al ingresar en la gran tradición se entretejen con las demás en maravillosos dibujos nuevos. No rinden sus diferencias originales ni abdican su valor propio. Lo que pierden al ascender a ese Paraíso de la gran tradición son sus tendencias exclusivas, aquellas apariencias de radical oposición a las demás que tuvieron en el momento histórico de nacer. En su libro sobre la tradición clásica en la poesía dice Gilbert Murray algo muy a este respecto, y de aleccionadora lectura—lección de moral—para muchos poetas modernos: "Al acentuar la palabra Tradición quiero considerar la poesía como una cosa que une y no que separa. No es la poesía a modo de competencia y concurso en que cada escritor individual tiene que producir algo nuevo, afirmar sus derechos, aventajar al vecino y dejar a los poetas de antes en la sombra. Es un culto común donde todos los sirvientes de las Musas se afanan en un servicio común, ayudándose todos". Ahora todas estas voces se hallan acordes en un gran canto. El milagro de la tradición es atenuar las discordancias y conservar las diferencias. Su signo es el de la concordia. Así la del artista. La tradición total le proporciona crianza y acompañamiento, como el mundo al individuo; pero llegará un instante en que el escritor habrá de situarse ante ella, de distinguirse de ella, como el ser humano que educado por el mundo ha de alzarse algún día frente a él para hacer algo en él, hacer algo con él. El artista, después de haber sido formado por la tradición, tiene, impulsado por el mismo jugo con que ella le nutrió, que hacer su obra, que intentar añadir algo, lo suyo, a la tradición. Es el momento de la soledad, el que no puede dejar de haber sentido ningún gran poeta. Hay que apartarse de esa gran compañía, sentirse uno solo, consciente de la propia poquedad y al mismo tiempo inevitablemente espoleado por el afán de la grandeza creadora. Ahí delante está la tradición. En ella hay que arriesgarse a la gran jugada de elegir.

LA OBLIGACIÓN DE ELEGIR Y SUS MODOS

Porque la tradición es una suma tan enorme que no hay individuo capaz de usarla en toda su enormidad. El artista en vísperas de creación la mira y la siente como una en su grandiosa totalidad, pero, incapaz de recoger todo ese caudal de fuerza para su tentativa, tiene que resignarse a renunciar a estas o aquellas venas de la ponderosa corriente. Este acto no es deliberado ni consciente; a fuerza de vivir en la corriente completa de la tradición el escritor va percibiendo su afinidad por alguna de las variedades que la integran; de éstas scrá de las que se sirva para que le empujen a la realización de su obra. Es como si se pudiera nadar en un gran río que hemos contemplado desde la orilla, indivisible, precisamente sobre aquella porción de agua que procede de un determinado afluente o de una combinación de afluentes. Pero esto, imposible en el curso del agua fluvial, es no sólo posible, sino fatal condición, en el curso de lo tradicional. ¿Hay quien aspire a bracear por toda la anchura de la tradición, hacerlo todo, todo lo que ha sido en las demás obras, en la propia obra nueva? Poeta clásico, alejandrino, anacreóntico, místico, intelectual simbolista en uno. Sin duda saben muchas combinaciones, binarias, ternarias, quién sabe. Pero algo, mucho, habrá de abandonarse, por pena que cueste. La grandeza de una artista se mide por su grado de capacidad para asimilar la mayor parte posible de esa totalidad de la tradición, por su vitalidad combinatoria. Cuando se dice que Shakespeare lo fue todo, clásico y romántico, barroco y moderno, se apunta inconscientemente a un punto de genialidad que le llevó más cerca que a ningún otro escritor de la conquista de la tradición total. La fascinación que irradia de la gran figura de Goethe también reside en lo próximo que estuvo a la absorción de la tradición *summa*.

Aparece así como el deber de todo artista el intentar ganarse la conciencia de la tradición en toda su plenitud, el avistar el horizonte más amplio para la ventura del espíritu creador. Cuestión de trabajo, como dice Eliot, pero asistida en último término por un don intuitivo: el Ángel. El trabajo consiste en la ayuda que prestemos al Ángel, siguiendo la metáfora de Valéry. Y una vez enfrentados con la visión plena de la tradición viene el otro deber del escritor, el último; elegir en ella por milagroso cálculo de sus fuerzas la corriente que mejor le lleve a la obra deseada, escoger sin cortedad ni ambición, sin limitarse a menos de lo que puede ni arrojarse a más de lo que está en su facultad. Insisto en que ese acierto es criatura híbrida del cálculo de la inteligencia discriminatoria y del abandono a lo incalculable. El error neoclásico, intelectualista, es el del escritor que se queda en el calcular; el del romántico es el del que se complace en tirarse de cabeza al agua, creyendo que eso es el camino seguro del acierto. Éste es el instante decisivo en que la tradición completa su dominio sobre lo temporal apoderándose de la última dimensión del tiempo, el futuro, la obra que empieza a escribirse. Ha llegado a su rango supremo: ser la rectora del futuro. Con todo lo hecho que ella representa y compendia, empuja al hombre a su hacer, a lo que está por hacer, es decir, a su realización en el futuro. Es superficial simpleza la que pinta a la tradición como una fuerza retrógrada, invitadora a la mímesis de lo pasado. En verdad ella es como los padres, que no quieren desde el fondo de sus almas de muertos que nos volvamos a ellos, sino que los continuemos en nuestros hijos. En ella, misteriosa entraña, se funden en un latido solo las tres formas de vida del tiempo: lo pasado se sobrevive, por su potencia de hacerse presente y, llegado a serlo, rebasa su actualidad, afanoso de ir más allá, y se sigue viviendo en el futuro. Y entonces se cumple el ciclo grandioso de la tradición: la nueva gran obra, la criatura de lo que fue antes proyecto futuro, es ya hecho, presente; y apenas lo ha sido, ingresa en el pasado, vuelve al seno de la tradición, de donde recibió su impulso de vivir; la cual no la recogerá como tierra sepulcral, sino como onda, que la lanza de nuevo hacia los que vengan, a vivir hacia adelante.

FATALIDAD DE LA TRADICIÓN

Sólo el puro capricho, la simple irresponsabilidad mental pueden negar a la tradición el supremo misterio en ese juego de arcanas fuerzas que concurren al advenimiento de una gran obra literaria. Tan vano es el intento, nacido o de malicia o de inconsciencia, de desfigurarla, empequeñeciéndola bajo el nombre de escuela o de academia, ya sea la de Horacio, la de Góngora o la de Hugo; todas estas academias, y muchas más, habitan, sin conflicto alguno, el recinto de la tradición. Y junto a ellas están las antiacademias. Porque ni siquiera los adversarios de la tradición, si son grandes artistas, se escapan de ella. A esos hijos pródigos, que la huyen, a esos enemigos que la hostilizan, ella los espera con paciencia; sabe que en cuanto alcancen la grandeza de su obra, una especie de ley natural los traerá a su seno. Así artistas singulares, maestros de la rebeldía, tercos solitarios que la negaban, iban sin saberlo—aunque acaso anhelándolo en lo más hondo—trabajando para ello. Y así hay en la tradición la escuadra de los rebeldes, tan ejemplares como los demás. Ella los necesita, porque no hay mundo completo sin rebeldes. Es también camino, el más áspero, el más arriscado, hacia la tradición, el luchar con ella, la vía de la tortura y la angustia, la de San Agustín, la de Pascal, la de Unamuno. El que así pelee contra ella es que la lleva ya dentro. Hermosa vena de la tradición es esa de los que aceptan su gran realidad oponiéndose a ella, en vez de sometérsele de primeras. La tradición es gran sede, Roma de la creación artística; y todos los caminos llevan a Roma.

La única actitud perniciosa del artista es desconocerla, descartarla de su vida, estar ciego a su magna existencia. Suele venir esa postura de penuria vital o de pereza ética. O se arredran, holgazanes, ante la exigencia de esfuerzo que se requiere para adquirirla; o se amilana el pusilánime, delante de esa bellísima fuerza, sin atreverse a arrostrarla. Es el conocido miedo a perder la personalidad, el más tonto, el más ridículo de los miedos, según André Gide. "Los que tienen miedo a las influencias, los que huyen de ellas, confiesan tácitamente la pobreza de su alma. Nada deben de llevar dentro, digno de ser descubierto, puesto que se niegan a dar la mano a nada de lo que podría llevarles a descubrirlo". Y el mismo Gide, después de dicho que "educarse, expandirse en el mundo, parece que no es otra cosa sino ir encontrándose padres", apela al verbo evangélico, que viene tan bien aquí, en milagrosa coyuntura: "Aquel que quiera salvar su vida la perderá; pero el que quisiera darla, la volverá, en verdad, viva".

CAPÍTULO V

Jorge Manrique
ante la tradición de la muerte: las "Coplas"

JORGE MANRIQUE FRENTE A LA TRADICIÓN
DE LA MUERTE

El propósito de las páginas anteriores es situar a Jorge Manrique frente a los grandes temas, desprecio del mundo, Muerte y Fortuna, tal como habían cristalizado en poesía castellana;
es decir, colocarle en su tradición. Ya se dijo que la tradición
consiste en un tener presente ante la conciencia el pasado
literario, sobre el cual pueda actuar libremente el artista apro-
vechándose de aquel o aquellos impulsos, de los muchos que
contiene en su haz la tradición, que mejor le ayuden a la
realización de su obra. ¿Qué es lo que singulariza a Jorge
Manrique poeta? No es, ciertamente, el contenido conceptual
de las *Coplas,* inventado y formulado antes por muchos. Precisamente todo lo que es pensamiento en ese gran poema es
tradición. No la Biblia, por su lado, no Séneca, por el suyo,
no Boecio; sino la *summa* del pensar de los autores individuales en un conjunto donde se apiñan todos, apoyándose,
potenciándose, mutuamente, para formar el complejo que
podría llamarse "el pensamiento tradicional de la muerte en
el siglo xv". A él nada añade Jorge Manrique de su acervo.
Tampoco es obra de su invención la forma métrica de las
Coplas. Ya vieron los críticos hace tiempo que venía ela-
borándose en la poesía del siglo xv y que el tío del poeta,
Gómez Manrique, la fijó en el estado en que la toma su sobrino. Habrá que encontrar, pues, su personalidad en su tratamiento de ese pasado, en su actitud frente a la tradición. Ello
es lo que, a mi ver, define la figura poética de Jorge Manrique.

Lowes, en su libro *Convention and revolt in poetry,* dice
que se puede tener frente a las convenciones literarias tres acti-

tudes determinantes. Según la primera el artista las acepta y se conforma pasivamente a ellas; en la segunda las conserva, pero las moldea y rehace a su modo; en la tercera las echa por tierra y sigue adelante. Creo que dos de las tres posiciones se dan en el caso de la tradición. Hay un tipo extremo, el del artista reverente, el que se acomoda y, llevado de pura y noble admiración, repite pasmadamente, sin atreverse a variar sino alguno que otro rasgo externo, su modelo; es el académico, el neoclásico puro, que nunca intenta ir más allá de adaptar miméticamente a su lengua o a su momento histórico lo que recibe de la tradición. No le tengo, ni mucho menos, por desdeñable; su culto fervoroso nada añade a la tradición, pero le enciende sus velas, y la ayuda a pervivir. El otro extremo, el artista demoledor de las convenciones, que se abre paso entre sus escombros para ir adelante, es caso imposible, a mi juicio, cuando pensamos en la tradición. Me remito a lo que queda dicho páginas atrás; lo que derrumbará será, a lo sumo, un sector de lo tradicional, pero su ímpetu de alzamiento y las armas con que quiera llevarlo a cabo están también dentro de la tradición, y estos rebeldes siempre son de ella, aunque no lo sepan. Acabar con la tradición sería suprimir el pasado. Y ese sueño, de no pocos insurrectos espirituales, ya se soñó antes, es también forma del pasado.

Y queda la actitud intermedia: es aceptadora, como la primera, y como ella repite los datos de la tradición. Lo que ocurre es que esos datos que para el *academicista* de la tradición nunca pasaban de ser dechados, patrones, que cumple al artista contrahacer devotamente, al modo de su época, se le convierten al verdadero artista imitador, según los utiliza, en materiales con que labrar el poema nuevo. Al proceso de esta composición asisten una serie de imitaciones y repeticiones parciales, pero no originales en el simple afán mimético, ni dirigidas a la consecución de una hábil dúplica del modelo, sino puestas al servicio de un propósito o proyecto espiritual que el poeta se trazó en su ánimo, y que actúa de principio ordenador original de aquellos componentes conocidos. El proceso de composición consta de un conjunto de reproducciones de estos o aquellos elementos suministrados por la tradición; sin embargo, la operación total que abarca todas esas otras operaciones repetitorias menores es de carácter creador, y su producto, original. Modo de aceptación en que trabajan armónicamente iniciativa y obediencia, recepción e inventiva, y que en vez de terminar en mecanizada reproducción de algo que fue vivido antes acaba en el nacimiento de otra cosa viva. Modo semejante al de los pulmones, con su aceptación del aire, para transformarlo en un factor de energía vital y llevarlo a un acto más de vida, al parecer pasivamente y sin esfuerzo, pero en verdad mediante una serie de delicados y complejos procesos fisicoquímicos.

Si aún nos resistimos a esa idea de la creación literaria a través de la repetición, pudiera alegarse lo que sucede en la actualidad del poeta con la lengua. Un gran poema es una serie de repeticiones; repite las palabras de su idioma, dichas y escritas millones de veces; reitera los mecanismos sintácticos; y por muy audaz que sea, reincide en esquemas expresivos y convenciones estilísticas ya usados. Como, además, esa materia verbal del poema es inseparable de su contexto, el poema va cargado, en sus palabras, de asociaciones y referencias a estados psicológicos, emocionales, secularmente experimentados por legiones de seres. Pero una misteriosa ley organizadora de todo esto, tan común, una genial inventiva de ordenación, toca, como una varita mágica, los vocablos, las frases ordinarias, y el todo que ellos forman, el poema, aparece como novedad virginal e intacta, como nueva, nunca vista realidad.

Asimismo la tradición, el conjunto de sus obras, se ofrece como una serie de objetivaciones magistrales de la experiencia humana, y en su repertorio el poeta elige las que más desde dentro le llaman, y las emplea a su talante, fiando el triunfo

o el fracaso de la obra que emprende al acierto de su *motivo*
combinatorio y al grado de su potencia integradora. Los arqui-
tectos nunca pensaron en fabricarse sus piedras; aceptaron las
canteras, y al empezar a alzar las hileras de su catedral, les
movía la esperanza de que haciendo lo mismo que todos,
poner piedra sobre piedra, llegasen a hacer lo que todavía
no había hecho nadie, asistidos por una sobrenatural iluminación ordenadora.

EL TEMA DE LAS "COPLAS"

Las *Coplas* no son poesías de un solo tema. Si desde su primera lectura percibimos la densidad humana del poema, su
peso temático, milagrosamente compensado por la perspicui-
dad de visión del poeta y la levedad de la forma estrófica,
es porque Jorge Manrique trae a capítulo, en sus versos, no
a uno sino varios nudos de pensamiento, y todos de suma
trascendencia. No están superpuestos mecánicamente, sino
que se subordinan a una función común, misteriosamente
vinculados, como miembros pertenecientes a un mismo organismo, y que funcionan acordes con la unidad de designio de
éste; dotados cada uno de por sí de su valor propio, perfectamente sensible en el poema, sin embargo, someten su autonomía a la función final que el poeta señala a su obra. Ahí
está ya el primer acierto de Jorge Manrique. Los grandes y
ponderosos lugares comunes se enlazan, como por la mano,
y cercan el alma del lector como un corro, que se mueve con
noble y melancólico ritmo, girando lentamente alrededor suyo,
en un poético juego de trascendencias.

Por eso llamaría al contenido temático de las *Coplas* una
constelación de temas. Los nombres fabulosos que llevan las
constelaciones estelares nos inclinan a creer, por sus asociaciones imaginativas, que una constelación es casi casi una
invención literaria del hombre, fundada en un acto de la

imaginación que opera sobre ciertas alusiones visuales a tal o cual forma. Sin embargo, no es así. "El cinturón de Orión, las Pléyades, la misma Osa Mayor, nos parecen accidentes, y en realidad no lo son", dice Jeans. "La existencia de estos grupos naturales de estrellas es la raíz y la justificación de la división de las estrellas en constelaciones... Las estrellas de uno de esos grupos, por ejemplo las Pléyades, no sólo muestran las mismas propiedades físicas, sino que tienen idénticos movimientos por el espacio, y por eso viajan juntas perpetuamente por el cielo". Así los grandes temas del pensamiento humano se aproximan, se buscan por razón natural, se adunan, y afloran en la literatura, como viven en la vida mental, en grupo. Las estrellas de las *Coplas* son todas de primera magnitud y de brillo deslumbrador: nada menos que el juicio del mundo, la fugacidad y el tiempo, la fortuna y la muerte. Andaban juntas hace siglos: es la tradición la que las tenía así uncidas a un mismo propósito, en la literatura, la que había operado como centro de atracción común. Conservan su deslumbradora independencia, y, no obstante, lo que nos ilumina al final del poema no es la luz de ésta o de aquélla, sino un resplandecer nuevo, a cuyo alumbramiento han concurrido todas. Porque la diferencia entre la constelación celeste y la de las *Coplas* es que la primera es obra de una ley física natural, nada expresa ni quiere, es y no significa; mientras que la constelación de Manrique, recibida de la tradición, pero *creada* por el poeta, revela un *querer* esa agrupación, del poeta, un designio; es una constelación de finalidad esencialmente significativa.

DESIGNIO Y DISEÑO DE LAS "COPLAS"

¿Y cuál es ese designio, al que quedan armónicamente subordinados, es decir, recibiendo sus órdenes, los grandes tópicos del poema? Es una criatura de la más excelsa alcurnia, de la tradición pagana, platónica y estoica, de la tradición cristiana. También el poeta lo recibe y lo recrea, en su corazón, con el motivo circunstancial de la muerte de su padre. Y consiste en la vivencia de esa eterna oposición entre temporalidad y eternidad, proyectada en la vida del hombre en el antagonismo de los bienes temporales y los espirituales; el vacilar entre los dos; y su desenlace, la fervorosa convicción en la primacía de lo eterno.

Ese designio se crea su propio diseño, la manera de dar extensión y forma temporal a esa idea pura, esto es, ley de composición del poema. Siendo el designio exhortatorio (tenía razón Quintana en calificar las *Coplas* de *sermón funeral*), desde la estrofa primera, en la palabra inicial se percibe ya el tono de exhortación:

> Recuerde *el alma dormida,*
> avive *el seso y* despierte.

Esto de las expresiones exhortatorias es uno de los hilos estilísticos que nos guía a través del poema. "No se engañe nadie, no". "No les pidamos firmeza". "Dejemos a los troyanos". "Vengamos a lo de ayer". Las formas vocativas "ved", "decidme", corroboran ese sentido hacia alguien, hacia un oyente o un mundo de oyentes, que el poeta tiene delante de su fantasía, los sujetos de la exhortación. Pero donde lo exhortatorio llega a más alta potencia activa, a más valor de función, es en boca de la muerte, cuando se dirige al Maestre. Todo su discurso se apoya en formas exhortativas: "Dejad el mundo engañoso". "No se os haga tan amarga", etc. Y el mismo Maestre lo recoge fielmente de su consejero y encabeza sus últimas palabras, dirigiéndoselas no se sabe bien si a la muerte o a su propia conciencia con una exhortación: "No tengamos tiempo ya / en esta vida mezquina"; valiosísima, por cierto, pues formula con varonil energía la resolución de morir.

Pero conforme a Cicerón en *De oratore,* el sermón, la pieza literaria típicamente hortatoria, tiene tres fines que cumplir: *docere, delectare, movere.* Y por eso ha de usar generosamente el estilo expositivo, la explicación o declaración de las cosas. Manrique desarrolla gran parte del poema en exposiciones de las realidades del mundo, entrecortadas por afirmaciones doctrinales, o conclusivas. Lo cual acarrea otra tercera característica de estilo del poema: la sentenciosidad. La sentencia condensa y entrega, en breves palabras, la miel que le debe quedar al alma de la operación previa de la exposición. Fijémonos en la estrofa primera del poema, para ver, ya evidentes en ella, los diferentes tonos:

> *Recuerde el alma dormida,*
> *avive el seso y despierte*
> > *contemplando*
> *cómo se pasa la vida,*
> *cómo se viene la muerte*
> > *tan callando;*
> *cuán presto se va el placer,*
> *cómo después de acordado*
> > *da dolor,*
> *cómo a nuestro parecer*
> *cualquiera tiempo pasado*
> > *fue mejor.*

Los tres versos primeros son lo exhortativo: el pie quebrado, el "contemplando", es, en su significación, exhortativo también, puesto que nos invita a considerar algo, a meditar en ello. Al mismo tiempo, y actuando de elemento puente, nos conduce a la parte segunda, nos señala el objeto de la contemplación deseada por el poeta:

> *cómo se pasa la vida,*
> *cómo se viene la muerte*

> *tan callando;*
> *cuán presto se va el placer,*
> *cómo después de acordado*
> *da dolor.*

Todos estos versos exponen o declaran la doctrina del poeta sobre lo pasajero de la vida, lo fugaz del placer, y su conversión, al retrospecto, en pena. Los dos elementos gramaticales, el "cómo" y el "cuán presto", contienen el mismo sentido explicativo. Y acaba la estrofa así:

> *cómo a nuestro parecer*
> *cualquiera tiempo pasado*
> *fue mejor.*

Es la sentencia—y una de las más famosas de la lengua española—que remata la estrofa, no ya en su extensión formal, sino en su intención espiritual. A eso se iba: a la depreciación de todo lo que vive únicamente en el tiempo. Eso había no sólo que exponerlo, elucidarlo ante la conciencia del lector, y así se hace, primero. Pero queda que hacer más, aún: elevarlo, resumido, a puro valor poético, dar con la perfecta exteriorización verbal. Es el "cualquiera tiempo pasado fue mejor". En estas pocas palabras están subsumidas las anteriores, las explanatorias, que ya pueden olvidarse. Ellas hacen sentir al hombre, por encima de las explicaciones, todo lo elusivo y lo vano del presente y del futuro, que no valen lo que valdrá su recuerdo.

LA VÍA ILUSTRATIVA

¿Qué es lo que tiene ahora el poeta, enfocándolo con toda su tensa atención, como centro de su propósito? Es a uno de los agonistas del gran antagonismo temporalidad-eternidad, el mundo y sus bienes. Hay que lanzarse a su ataque: desvalorizar lo que en él se da por valioso, menospreciar lo que él más aprecia, deslucir lo que en él resplandece. El punto de partida argumentativo del poema es el gran lugar común del *Contemptu mundi,* así expresado:

> *Ved de cuán poco valor*
> *son las cosas tras que andamos*
> *y corremos.*

El poeta se apresta a probarlo; aunque el mundo, la valoración puramente mundanal de la vida nos intimide y asombre con aparente grandeza, tiene no uno, sino varios flancos expuestos al ataque. A Jorge Manrique, guerrero bravo, luchador en su alma, no se oculta ninguna de esas quiebras por donde arrojarse a la toma de la fortaleza. Así las enumera:

> *que en este mundo traidor*
> *aun primero que muramos*
> *las perdemos:*
> *de ellas deshace la edad,*
> *de ellas casos desastrados*
> *que acaecen,*
> *de ellas, por su calidad,*
> *en los más altos estados*
> *desfallecen.*

El mundo y sus cosas adolecen, por naturaleza, de tres inevitables fallas: la edad, que las desmorona, la fortuna, que las arroja de los más altos estados, la muerte, que las acaba. Éstos son los tres aproches por donde avanzará el guerrero moral, Jorge Manrique. Ya los conocemos, son los tres grandes lugares comunes que habían cobrado estado poético corriente en la poesía del siglo xv, los tres temas magnos que van a funcionar a las órdenes del designio del poema: el tiempo, la fortuna y la muerte.

EL TIEMPO, DESESPERACIÓN Y ESPERANZA

Pues que vemos lo presente
cómo en un punto se es ido
      y acabado,
si juzgamos sabiamente,
daremos lo no venido
      por pasado.
No se engañe nadie, no,
pensando que ha de durar
      lo que espera
más que duró lo que vio,
porque todo ha de pasar
      por tal manera.

Ya en la estrofa primera asoma su temerosa figura, pero es la segunda la que lo empuja a la máxima tensión expresiva. Jorge Manrique quiere arremeter contra lo temporal; para eso hay que dirigirse a su esencia misma: al tiempo. En estos doce versos el poeta despoja al hombre de cualquier esperanza que el anhelo humano quisiera prender en el tiempo. Lo presente huye, en un punto. Luego el hombre cuerdo ha de saber que lo futuro, cuando llegue, es decir, cuando se haga presente, se escapará del mismo modo. Lo que venga no va a durar más que duró lo que vino y que ya no es otra cosa que memoria. "Todo ha de pasar": he aquí la inapelable sentencia de la fugacidad. Lo había escrito San Agustín, uno de los primeros grandes angustiados por la idea del tiempo: "Ex illo quod nondum est, per illud quod spatio caret, in illud quod jam non est". Versos devastadores: las palabras se suceden sin prisa, majestuosamente implacables, arrancando todas las ilusiones puestas por el hombre en lo que aún podría ser. Dobla la estrofa y el alma se siente por un momento en infinita soledad y abandono. ¿Cómo va a poder realizarse, cómo va a cumplir su sueño si le falta el *dónde consumarlo,* el tiempo? Porque Manrique ha quitado al tiempo toda otra realidad que no sea la de pasar, la de dejar de ser. Lo mismo que hizo San Agustín en el ejemplo de la voz: "Era futura antes que sonara y no podía medirse porque todavía no era; y ahora al presente no puede medirse porque ya no es. Conque cuando ella sonaba podía medirse, porque existiendo entonces ya había una cosa que se pudiese medir. Pero aun entonces no se detenía, sino que se iba pasando y deshaciendo". La sensación de vértigo ante un vacío que dan las palabras agustinianas se repite en los versos manriqueños. El Mundo, al quitársele sus cimientos, lo temporal, se derrumba bajo las plantas del hombre.

Precisamente este efecto, prodigiosamente logrado por el poeta, era el blanco de su deseo. Lo que hay que hacer es desengañar al hombre del tiempo, reducir el tiempo a la nada o, si acaso, a una pura memoria, porque el enemigo con el que él lidia es lo temporal. Quitar al hombre la fe en el tiempo es beneficioso, porque si se le hace sentir sin compasión la vanidad de lo temporal, acaso se vuelva a lo otro, a lo colmado de inmarcesible realidad, a lo eterno. Será esta estrofa desoladora para el individuo que limite su visión de lo humano al círculo de lo terrenal, sin nada más allá. A éste, en efecto, si se le va lo temporal se le huye toda suerte de vida. Pero para el creyente la destrucción de esas vistosas apariencias del tiempo no le abandonará frente a una espantable nada; verá, por el contrario, que lo temporal era mera fachada de falsos materiales; al derrumbarse deja al descubierto el ilimitado horizonte verdadero, la invitación a la eternidad.

La doctrina general de Manrique sobre el tiempo queda ya grabada en esta estrofa. Se irá viendo en el poema las apariciones frecuentes que hace este poderosísimo fautor del designio del poeta en ejemplos concretos, alternando con sus dos compañeros de demolición.

LA MORTALIDAD

Nuestras vidas son los ríos
que van a dar en la mar,
que es el morir;
allí van los señoríos
derechos a se acabar
y consumir;
allí los ríos caudales,
allí los otros medianos
y más chicos;
allegados, son iguales
los que viven por sus manos
y los ricos.

Bien mirado, el tiempo es para el hombre dimensión de su vida; pero mal mirado, esto es, por el revés, resulta ser la dimensión de su muerte. Así se ha escrito muchas veces (en español, quizá mejor que por nadie por Quevedo en su trágica polaridad cuna-sepultura): empezar a vivir es empezar a morir. De suerte que con toda lógica la estrofa que sigue a la del tiempo es la de la muerte. El tiempo no puede pararse, es puro pasar; luego, si la vida se vive en el tiempo, tampoco podrá ser retenida un momento; por eso en castellano al morir se le llama pasar. Manrique no tiene más que hacer su hallazgo genial, la metáfora del río, de algo cuya vida consiste también en su curso, en correr hacia su fin, para conducirnos a la idea poética del acabamiento final. Vida humana, tiempo, agua, corren coincidentes hacia un mismo término: el espacio sin límites del mar verdadero o de ese inmenso mar de los muertos, de todos los muertos que nos han precedido. Lo que Manrique erige ante la conciencia del lector en esta estrofa no es exactamente la muerte: "es el morir", el resultado de la acción incesante de la muerte. Me parece que se entienden las *Coplas* mejor mirándolas como una poesía de lo mortal en vez de como una poesía de la muerte. La muerte, como se muestra al final del poema, no es más que una actora o ejecutora de esa ley de la mortalidad.

Alcanza aquí la idea de lo mortal su máxima generalidad, que todo lo abarca y todo lo comprende en su seno. Es la del río una de las primeras y más hermosas metáforas sostenidas o prolongadas de la poesía española. Por ella, Jorge Manrique encuentra nueva y feliz expresión sintética a la idea del poder igualitario de la muerte de tanto éxito en la Edad Media y que, como vimos, se creó para ella sola un subgénero: el de las famosas Danzas de la Muerte. Lo que en ellas está prolijamente desarrollado con exagerado rasgueo, y con toques semigrotescos, lo aprieta Jorge Manrique en unas cuantas frases en que se hermanan la intensidad de efecto espiritual y la severa nobleza de tono. Ni sombra aquí de la gesticulación terrorífica de las Danzas de la Muerte. Las cosas van a su acabamiento sin violencia, por obra de una ley natural; como los ríos hacia su desembocadura, sin queja ni protesta. Encuentro ya prefigurada en esa imagen de las vidas humanas viviéndose por una pendiente hacia su acabamiento, la actitud ante la muerte con que se coronan las *Coplas* en su final. Si al río no se le ocurre solicitar que sus aguas se detengan o que no lleguen hasta el mar, ¿por qué ha de ocurrírsele al hombre la insensata demanda de esconderse a la muerte o de resistirle? La misma ley de Dios, puesto que la naturaleza no es más que la mandadera de Dios, empuja las ondas del río y las horas de la existencia del hombre. Así lo reconocerá el Maestre don Rodrigo. El hombre es hermano del río; y los dos, piezas de ese gran orden del mundo hechura de Dios y en el cual, aunque por diversas maneras, todos acatan la misma ley.

Ese tema de la mortalidad que aquí se ofrece en su aspecto más vasto, sin referencia a ningún ser concreto, aplicado a todos, a la humanidad entera, con impersonal voz meditativa, irá luego a lo largo de las *Coplas* realizándose en sucesivas concreciones, cada vez más particularizadas. Dice Middleton Murry "que la más alta forma del estilo es una combinación del máximum de personalidad con el máximum de impersonalidad". Esta estrofa tercera de las *Coplas* representa la cima de esa espléndida combinación—personalidad e impersonalidad—de la visión manriqueña.

Hasta aquí el poeta ha procedido como ciertos sinfonistas modernos que al comienzo brindan al oyente los *leitmotivs* de su obra antes de entrar en materia. Ahora va a empezar el pleno desarrollo sinfónico de esos temas.

LA INVOCACIÓN, Y A QUIÉN

INVOCACIÓN

> *Dejo las invocaciones*
> *de los famosos poetas*
> *   y oradores;*
> *no curo de sus ficciones,*
> *que traen yerbas secretas*
> *   sus sabores.*
> *A Aquel sólo me encomiendo,*
> *a Aquel sólo invoco yo,*
> *   de verdad,*
> *que en este mundo viviendo,*
> *el mundo no conoció*
> *   su deidad.*

"*En el nombre de Dios que fizo toda cosa...*"

Así comienzan, según el uso medieval, los primeros poemas castellanos de autor conocido, Gonzalo de Berceo. Apenas puesto el pensamiento en acción, los ojos del poeta se alzan

al Único que puede ampararle en su empeño, y las palabras
invocan su auxilio:

> *El que fizo el cielo, la tierra e la mar,*
> *Él me dé la su gracia e me quiera alumbrar,*
> *que pueda de cantares un librete rimar.*

dice Juan Ruiz, cuando se embarca en su regocijado viaje
por los mares océanos del buen amor. Ésa es la tradición
medieval. El poeta, humilde creador terrenal, se acoge al
Creador de todas las cosas, para que le asista en el desempeño
cabal de su tarea. Pero pasa el tiempo, el Renacimiento se
inventa sus dioses literarios, y los poetas renacentistas solicitan
entonces la protección guiadora de los grandes poetas clásicos, de Virgilio, de Homero, o de aquellas "hermanas nueve" que a ellos les inspiraron, las Musas. En el siglo XV ya
apuntan en la poesía castellana algunas disidencias en la
invocación, y se apela por algunos poetas a los modelos de
la elocuencia antigua. Miss Krause ha señalado pulcramente
en su librito estas alternativas. Pero para el poeta cristiano
sólo existe un poder capaz de adiestrar al hombre en cualquiera de sus haciendas: el poder de Dios.

Jorge Manrique sigue aquí al pie de la letra a su tío
Gómez Manrique, que al comenzar el "Planto de las Virtudes" al Marqués de Santillana dice exactamente bajo el mismo título "Invocación":

> *Non invoco los planetas*
> *que me fagan elocuente...*
> *ni las hermanas discretas*
> *que moran cabe la fuente:*
> *ni quiero ser socorrido*
> *de la madre de Cupido...*
> *mas del nieto de Santana*
> *con su saber infinido.*

Digo que le sigue al pie de la letra porque el verso de Jorge Manrique que inicia la estrofa cuarta es idéntico a otro de Gómez Manrique ("Dejo las invocaciones"). Estamos en los umbrales del Renacimiento; los poetas viven entre el culto religioso a Cristo y el culto estético a las directivas de la poesía clásica. Así vivió Santillana. Pero todavía prevalece, sin sombra de titubeo, sobre los ejemplos del arte, sobre los divinizados poetas paganos, el Dios auténtico, el ejemplo de Cristo. Jorge Manrique, alma entera religiosa, rechaza en esta estrofa la tradición pagana del arte y acepta la tradición cristiana del alma.

DIGNIDAD E INDIGNIDAD DEL MUNDO

*Este mundo es el camino
para el otro, que es morada
      sin pesar;
mas cumple tener buen tino
para andar esta jornada
      sin errar.
Partimos cuando nacemos,
andamos mientras vivimos,
      y llegamos
al tiempo que fenecemos;
así que cuando morimos
      descansamos.*

*Este mundo bueno fue
si bien usásemos de él
      como debemos,
porque, según nuestra fe,
es para ganar aquel
      que atendemos.
Y aun aquel Hijo de Dios,*

> *para subirnos al cielo,*
> *descendió*
> *a nacer acá entre nos,*
> *y vivir en este suelo*
> *do murió.*

> *Si fuese en nuestro poder*
> *tornar la cara hermosa*
> *corporal,*
> *como podemos hacer*
> *el alma tan gloriosa*
> *angelical,*
> *qué diligencia tan viva*
> *tuviéramos cada hora,*
> *y tan presta,*
> *en componer la cativa,*
> *dejándonos la señora*
> *descompuesta.*

En las tres estrofas que siguen (adopto el orden de la versión de Foulché-Delbosc) Jorge Manrique propone una valoración del mundo conforme a la doctrina cristiana: "Este mundo es el camino / para el otro..." Continúa latiendo, invisible, pero viva, la imagen de la vida-río: el río es un tránsito y el mundo es también un transitar. Pero de cómo sean nuestros actos en este mundo dependerá el error o el acierto final. Es bueno según lo usemos, porque se nos da para ganar el de más arriba. Por consiguiente esa fe en el más allá debe ser la fuerza inspiradora de nuestros pasos sobre la tierra. Vossler, en su libro sobre el Dante, dice: "El motivo religioso principal de la *Divina Comedia*, genuinamente evangélico, es la firme intención de sacar nuestra fuerza para las luchas de este mundo de nuestra profunda fe en el más allá". La tierra, "este suelo", como escribe Manrique, tomó valor porque a ella descendió el hijo de Dios, confiriéndole así nobleza eterna. "Porque de tal manera amó Dios al mundo que ha dado a su hijo unigénito para que todo aquel que en Él crea no se pierda, mas tenga vida eterna, porque no envió Dios a su hijo al mundo para que condene al mundo, mas para que el mundo sea salvo por Él". (*Juan*, iii 16-7). La tierra es, por consiguiente, la ocasión que al hombre se le pone para lograr su acceso al mundo ultraterrenal.

En la estrofa tercera de esta serie—la que Menéndez Pelayo y Cortina hacían remontar a San Próspero de Aquitania, hasta que hace muy poco María Rosa Lida ha demostrado que procede originariamente de Filón—señala Manrique con sesgada elegancia cuál debe ser la faena propiamente terrenal: embellecernos el alma, "la señora". Jorge Manrique no preveía los progresos que había de hacer con el tiempo el arte de la cosmética. Su estrofa es casi casi una profecía de la actualidad, porque los hombres, mejor dicho, la mujer de hoy, pone la más viva diligencia en hermosearse "la cara corporal" aprovechando la coyuntura que innumerables establecimientos o salones de belleza le prodigan.

La desigualdad entre los cuidados que se presta a "la cativa", es decir, a la miserable, a la mala, la cara carnal, y los que se dan a "la señora", esto es, "el alma tan gloriosa, angelical", acaso no haya sido tan grande en ningún momento histórico. Cosa por lo demás perfectamente comprensible, puesto que se corresponde con la creencia de que esta vida no es tránsito ni camino, sino el término de todo lo que se le ofrece al hombre.

Queda, pues, bien claro que Jorge Manrique no menosprecia al mundo en cuanto tierra, en cuanto lugar o campo de batalla, en que el ser humano pueda ganarse su salvación. Fue santificada por la encarnación y en ella, por los actos esforzados y virtuosos, puede el hombre dar seña al hijo de Dios de su valor. Conviene, pues, precisar y limitar lo despreciable del mundo: tomado en sí, poco vale, pero se acrece y cobra significación por su referencia a lo celestial; será menospreciable sólo cuando se le mire en su pura limitación mundanal. Esto es, lo que se menosprecia son los valores *mundanales* del mundo. Él, por sí, no es nada más que el coso o escenario donde, por sus obras, el hombre se condena o se salva.

LOS BIENES MENTIROSOS

Ved de cuán poco valor
son las cosas tras que andamos
    y corremos,
que en este mundo traidor
aun primero que muramos
    las perdemos:
de ellas deshace la edad,
de ellas casos desastrados
    que acaecen,
de ellas, por su calidad,
en los más altos estados
    desfallecen.

Decidme: la hermosura,
la gentil frescura y tez
    de la cara,
la color y la blancura,
cuando viene la vejez,
    ¿cuál se para?
Las mañas y ligereza
y la fuerza corporal
    de juventud,
todo se torna graveza
cuando llega al arrabal
    de senectud.

Pues la sangre de los godos,
el linaje y la nobleza
    tan crecida,
¡por cuántas vías y modos
se pierde su gran alteza
    en esta vida!
Unos, por poco valer,
¡por cuán bajos y abatidos
    que los tienen!;
otros que, por no tener,
con oficios no debidos
    se mantienen.

Los estados y riqueza,
que nos dejan a deshora
    ¿quién lo duda?
No les pidamos firmeza,
pues que son de una señora
    que se muda.
Que bienes son de Fortuna
que se vuelven con su rueda
    presurosa,
la cual no puede ser una,
ni ser estable ni queda
    en una cosa.

Pero digo que acompañen
y lleguen hasta la huesa
    con su dueño;
por eso no nos engañen,
pues se va la vida apriesa
    como sueño;
y los deleites de acá
son en que nos deleitamos
    temporales,

> y los tormentos de allá,
> que por ellos esperamos,
>   eternales.
>
> Los placeres y dulzores
> de esta vida trabajada
>   que tenemos,
> no son sino corredores,
> y la muerte, la celada
>   en que caemos.
> No mirando a nuestro daño,
> corremos a rienda suelta
>   sin parar;
> desque vemos el engaño
> y queremos dar la vuelta,
>   no hay lugar.
>
> Esos reyes poderosos
> que vemos por escrituras
>   ya pasadas,
> con casos tristes, llorosos,
> fueron sus buenas venturas
>   trastornadas;
> así que no hay cosa fuerte,
> que a Papas y Emperadores
>   y perlados
> así los trata la Muerte
> como a los pobres pastores
>   de ganados.

Son los que llamó Boecio en la prosa segunda del libro tercero de su *Consolación* "los bienes mentirosos", los que descaminan al hombre. Los bienes que no son bienes. Manrique, en la estrofa 8, los llamó "las cosas tras que andamos", o sea, las metas de nuestros deseos. Conformándose a su pro-

cedimiento favorito, presentar primero la idea en su formulación más general, para ampliarla luego en ramificacio-
nes donde vaya especificándose y cobrando más concreción,
el poeta va precisando cuáles sean esos bienes, ofreciendo a
cada uno una estrofa, un breve tablado de doce versos donde
se represente ante el lector la comedia de sus engaños.

Las primeras comediantas, de la estrofa 9, son la belleza
y las fuerzas corporales, que apenas se presentan se despojan
de sus vistosos disfraces y revelan su fugacidad. La suceden
la nobleza y la honra, estrofa 10, igualmente pasajeras. Tampoco la riqueza y los señoríos, que salen a escena en la estrofa 11, son de más durar. Una señora, de nombre Fortuna,
los arrebata cuando menos se piensa. En cuanto a "los placeres
y dulzores" o "los deleites de acá", estrofas 12 y 13, son
misioneros adiestrados por la muerte, que nos encandilan hasta
hacernos caer en su sima. Y por muy aparatoso que se presente el último de esos falsos bienes, el poder, el de los
papas, los emperadores y los prelados, la fortuna y la muerte
los condenan también a caducidad inevitable. Termina aquí
esa revista o lección magistral de menosprecio de las valoraciones del mundo.

Es curioso, prueba de la firmeza histórica del pensamiento
medieval, que Jorge Manrique, en el siglo xv, sigue aceptando en esta parte de su poema exactamente la misma división
de esas falacias temporales que hizo Boecio en el siglo vi.
Al enumerar el filósofo romano "las cinco cosas en que los
antiguos, y ahora los ignorantes, ponen la bienaventuranza
humana", prosa segunda del libro tercero de la *Consolación*,
las hace consistir en las riquezas, la honra y fama, el poder,
la delectación y "la gentil disposición y ligereza". ("Las mañas
y ligereza" manriqueñas.) No quiero insinuar con esto que
Manrique las tomara al pie de la letra, y con el texto de
Boecio presente, del romano, sino que las doy como muestra
de esa fuerza cohesiva de la tradición que mantuvo invariable ese núcleo a través de los tiempos.

Creo digno de observarse en esas siete estrofas, de la octava a la quince, el método de entretejimiento y cooperación de los tres grandes tópicos, auxiliándose en la faena de menosprecio del mundo, tiempo, muerte y fortuna. Es el primero, el tiempo ("vejez" y "senectud"), el que da al traste con las aspiraciones de la belleza y la fuerza. Por su parte, la muerte es el final de los deleites, de los placeres y dulzuras de la vida, que ella maneja como espejuelos, para atraerse a los atolondrados a su celada, sin que haya modo de deshacer el precipitado camino. Ella trata también, en una nueva aparición del tema del poder igualitario de la muerte, del mismo modo a los grandes "como a los pobres pastores / de ganados". Y la tercera demoledora de las esperanzas en lo terrenal es la fortuna, que todo lo revuelve con su rueda, "la cual no puede ser una / ni ser estable ni queda / en una cosa". Vemos a los tres exterminadores entrar y salir, por entre los versos, cumpliendo ya el uno, ya la otra, en acordado ritmo, su desoladora misión: mostrarnos la flaqueza de este mundo traidor. Jorge Manrique los hace alternar magistralmente, como a sendas manos desgarradoras, que arrancan al mundo los ropajes alegres y suntuosos en que se disimula su vanidad, y lo dejan trágicamente al desnudo, para nuestra meditación y enseñanza.

LA EDAD MEDIA Y LA EJEMPLARIDAD

Está la literatura medieval transida de ejemplaridad. En Castilla, desde el siglo XIII, el ejemplo es de uso obligado por casi todos los grandes autores: ejemplos son los *Milagros,* de Berceo; el *Conde Lucanor* consiste en un sartal de cuentos ejemplares; Juan Ruiz se sale a cada dos por tres de la vívida narración de sus aventuras para recrearse en contarnos a su modo algún *enxemplo* que convenga a su situación personal del momento. Parece como si el escritor no pudiese andar por su obra sin apoyarse en estas muletas. Si hay que enseñar a las gentes, ofrecerles escarmiento, ahí está el *enxemplo,* excelente recurso de escarmentar. La literatura se limita a secularizar un recurso retórico de la oratoria sagrada. Porque en los sermones el ejemplo es de inevitable ocurrencia. En los manuales sobre el arte de predicar se indica la utilidad de aportar, en apoyo de las citas de textos, ejemplos, en los cuales la doctrina se revista de formas para todos sensibles. Gaston Paris nos habla de su importancia en la literatura homilética al citar algunas colecciones del siglo xiii, hechas para auxilio de los predicadores en Francia. La compilación del mismo siglo xiii por Jacques de Vitry abunda en descripciones y ejemplos que se ofrecen a los predicadores para la más fácil composición de sus sermones, y que están tomados de la historia, la leyenda, la vida diaria, y hasta de los bestiarios. Algunos trozos de obra de tan eminente representación en las letras de la Edad Media como los *Canterbury tales,* de Chaucer, se originan en los *enxemplos;* así, el famoso cuento del "Perdonador".

Por lo que tienen las *Coplas* de sermón funeral se entiende en seguida que Jorge Manrique fuese llevado derechamente al empleo del ejemplo. Se le imponía por su doble procedencia de lo religioso—los predicadores en la iglesia—y de la literatura profana, que lo había hecho suyo. Pero una poesía lírica no puede admitir sin riesgo la interpolación de una historieta ejemplar. Y así Manrique lo que acogió en su poema no fue la forma convencional del *enxemplo,* sino el sentido que informa a todos ellos: la ejemplaridad. Su procedimiento es condensar esa virtud ejemplar, con la que quiere reforzar las ideas morales que expuso, en unos cuantos casos históricos de personajes conocidos, a los que alude con unos rasgos que los identifiquen, pero sin llegar propiamente a lo narrativo ni al pormenor menudo. Esta parte *ejemplar* de las *Coplas* va de la estrofa 15 a la 25—por lo menos— y en ella encontró el poeta una de las cimas líricas de su obra.

¿Qué es lo que hay que demostrar por vía de ejemplo? Lo que acaba de exponerse por vía de tesis, especificada en sus diversas partes: que los bienes de este mundo son de ínfimo valor y de fugaz paso. Vuelve Manrique a su procedimiento favorito: exposición en términos amplios, abstractos, de la idea, desplegada en sus variantes, y luego descenso al nivel de las experiencias humanas concretas, para que veamos cómo aquellas ideas morales se realizan en casos. *Caso*, en su dual acepción: acontecimiento y caída, suceso y desengaño. Manrique diserta líricamente sobre *lo* que pasa y *lo* que muere, y luego nos lleva de la mano a asomarnos a la ventana de lo histórico, a ver pasar y morir. Pero, ¡en qué tremendo apuro se ve aquí el poeta! Es un *embarras du choix* de colosales proporciones, ya que el número de los muertos, de los pasados, es inmenso, aunque sólo se ponga la vista en los mayores y más encumbrados. ¿A qué muertos habrá que citar, para que comparezcan ante el ánimo del lector, y con su rápida aparición remachen más y más las verdades puras y tristes que se le dictaron antes?

EL "UBI SUNT", MAQUINARIA DE EJEMPLARIDAD

Por lo pronto, Manrique se sirvió sin vacilar de una convención retórica de curso corrientísimo en la Edad Media: la que se ha convenido en llamar el *ubi sunt*. Étienne Gilson ha resumido mejor que nadie en *Les idées et les lettres* su larguísima carrera histórica desde la Biblia a Villon, y ha compuesto unas *tablas* para la historia del tema. Esta erotesis, o pregunta académica, se convirtió en un esquema estilístico, consistente en empezar cada frase con una interrogación sobre el paradero de los grandes de la historia o de la fama:

> *Ubi Plato, ubi Porphyrius?*
> *Ubi Tulius, aut Virgilius?*

Ubi Thales, ubi Empedocles
aut egregius Aristoteles?

La lista se puede ampliar y prolongar, a voluntad, con nombres procedentes de cualquier clase de grandeza humana; y de hecho se prolongaba a veces hasta el fastidio. Y, lo que es muy importante, la pregunta podía versar no sólo sobre hombres, sino sobre imperios, ciudades, y en general sobre las .consabidas "cosas del mundo". Este esquema estilístico .era un verdadero hallazgo. Su mecanismo es de gran sutileza. Suele el *ubi sunt* servirse de la anáfora; cada verso empieza por las mismas palabras, por la fórmula interrogativa. De esta suerte entra ya en juego el efecto psicológico que causa siempre la repetición, y que penetraba casi toda la retórica medieval. El elemento invariable es la pregunta: *ubi sunt?* ¿dónde están?, *où sont?*, *where are?* Pero a ella se agrega el elemento variable, los nombres, convocados. Hay algo que queda, que permanece fijo, algo que pasa, sin cesar: los nombres, los personajes. El pasar acelerado por el tiempo—idea básica—está reproducido en el correr de tanto y tanto nombre por los versos. Pero el efecto máximo de este esquema se da cuando no se contesta a la pregunta del *adónde* de un modo explícito, y la respuesta queda sobrentendida en el silencio. Es dar la callada por respuesta. Ese silencio traduce simbólicamente el inmenso *no ser* de la muerte, en el *no ser* de ninguna voz respondiente. Todos han caído en el silencio. He aquí otra gran unidad, muerte-silencio, en donde se juntan todos los que vivieron en diferentes tierras y años, en este mundo. ¿Acaso no responde ese mecanismo psicológico del *ubi sunt,* con absoluta exactitud, a la soberbia metáfora del principio del poema: "Nuestras vidas son los ríos / que van a dar en la mar, / que es el morir"? Nuestras, no, ahora; las de los excelsos en la historia, Platón, Porfirio, Tulio, Virgilio. Y yendo todas a *la mar,* representada en el no contestar a la pregunta, en el silencio, vasto e ilimitado como el mar mismo, todas las preguntas desembocan en la callada. El *ubi sunt* es la *vox clamantis in deserto*. Y aún hay más; ese callar, ese no decir, está henchido de significado: es un hablar callando, un decir silenciando. No se pronuncia la palabra temible, no se enuncia el concepto pavoroso, pero así, callado, a cada pregunta se alza su figura en la conciencia: es la muerte, la indecible. No es casualidad que dos grandes poetas, Manrique en España, Villon en Francia, recogieran esta convención, ya arrutinada y sin filo por el abuso a que se la había sometido, para elevarla, y elevarse ellos con ella, a la plenitud de expresividad poética. Ellos sintieron bien lo que llevaba en su entraña. Todavía pervive, y surge donde menos se la espera. Hace unos años empezó a publicarse en un periódico de una pequeña ciudad norteamericana una extraña sección diaria; era un poema dedicado a los muertos recientes, a los que todos conocieran, de la ciudad; no los grandes, sino los medianos, los menores, las gentes del montón, allí recordados con sus apellidos y los rasgos personales que les distinguieron. Desfile de muertos, también, pero, conforme al tiempo y al lugar se inventaron estos poemas, los muertos sin grandeza, los indignos de fama. En el prólogo de esa extraña *fosa común* poética, su autor, Edgar Lee Masters, retorna al esquema estilístico del *ubi sunt*:

> *Where are Elmer, Herman, Bert, Tom and Charley,*
> *the weak of will, the strong of arm, the clown,*
> *the boozer, the fighter?*

La versión democratizada, por decirlo así, de la procesión de los muertos, tan nueva, tan subversiva, acata, no obstante, el pasado, en la adopción de ese esquema secular nacido lejos de la tierra americana.

En su libro sobre *Jorge Manrique y el culto de la muerte,* Miss Anne Krause ha estudiado con diligencia y entendimiento la historia del *ubi sunt* en la poesía castellana, y a ella puede remitirse el lector curioso. Queda por estudiar el modo que tuvo Manrique de hacer suya la famosa convención literaria, su genial técnica de repetición creadora, o creación por vía repetitoria. El poeta acepta ese complejo tradicional sin vacilar; considera sin duda que no hay que buscar un camino más certero hacia la sensibilidad del lector que este alzar frente a él los fantasmas de tantos grandes y grandezas, para que los vea pasar. Pasar, en una imponente comitiva de muertos, desfilar; y pasar, en su acepción más trascendente y terrible, morir; su pasar es verlos morir, sin llevarse nada de sus bienes temporales con ellos. ¡Gran escarmiento! Una vez aceptada la convención, en su valor general, introduce en ella una serie de habilísimas variantes que la van limpiando de la seca costra formularia con que la había cubierto tanto y tanto rodar mecánico de una a otra poesía, y le devuelven su pureza y su totalidad de efecto poético original.

CÓMO TRATA JORGE MANRIQUE EL "UBI SUNT"

La mayor parte de los poetas que lo usan antes que él, en su deseo de acumular nombres y más nombres de desaparecidos, entran a saco en todas las épocas de la historia y en todos los cuadrantes de la geografía. Así Gonzalo Martínez de Medina en su *decir:*

> Mira qué fue del grande greciano
> Alixandre, Julio e Darío e Pompeo,
> Hércoles, Archiles, don Héctor troyano,
> Priano e Mino, Judas Macabeo,
> Dandolo, Trabo, Suero e Tolomeo,
> Menbrot, Golías, el fuerte Sansón,
> Vergilo, Aristótiles, el gran Gedeón...
> Mira qué fue del muy excelente
> rey don Enrique, de muy gran valía...
> Mira el d'Estúñiga e el de Velasco...

El repertorio de los magnates desaparecidos venía a constituir una *nómina oficial*, por decirlo así, que cada poeta usaba liberalmente, quitando o añadiendo nombres. En el *decir* de Fray Migir a la muerte del rey don Enrique el poeta embute en cuatro octavas no menos de cincuenta y cuatro nombres, de seres reales o de personajes de ficción, desde Aquiles, Héctor y Eneas a Amadís y Lanzarote del Lago, pasando por Platón, Séneca y Boecio. Gonzalo Martínez de Medina, para empezar como es debido, coloca a la cabeza de la lista al príncipe de todos los caídos, a Lucifer. Juan de Mena, en el *Razonamiento que fizo con la muerte*, también comprime en unos pocos versos, y en curioso revoltijo histórico, todos los nombres que puede:

> *Mataste al fuerte Anteo*
> *e a don Héctor el troyano,*
> *rey Artús e Carlo Magno,*
> *rey David y Tolomeo,*
> *a Apolo e a Teseo,*
> *Hércoles el gigante...*

Y antes y después de la citada estrofa hay más y más nombres, iniciados por los otros dos ilustrísimos derrocados de su fortuna, Adán y Eva, y que van hasta treinta y seis. Se cosechaba en lo sagrado y en lo profano, en lo histórico y lo fabuloso, por todos los continentes conocidos, y en lugares tan apartados entre sí como el Paraíso terrenal y la Bretaña artúrica. El infantil prurito, alardeante de erudición, apilaba nombres y más nombres, limitándose muchas veces a la simple mención; era de efectos mortales para la poesía. Por pasarse de toda mesura el poeta convertía aquel gran recurso literario en una operación de aritmética histórica; entre las filas de esta cerrada formación no quedaba espacio alguno para la poesía.

Jorge Manrique opera sobre esta masa inerte con un cri-

terio de reducción radical, y por tres lados a la vez. Reduce
el radio de extensión histórica de donde toma sus ejemplos;
reduce el área geográfica de esta geografía universal de los
muertos; y reduce su número. De aquellas longitudes, cincuenta y cuatro en Fray Migir, treinta y seis en Mena, nos
quedamos con siete nombres. Estos siete se confinan al tiempo del poeta o al inmediatamente anterior, a los años que
van de 1406, en que accede al trono don Juan II, al 1476, el
de la muerte de don Rodrigo Manrique. No es chica contracción, como se ve: de toda la historia del hombre, iniciada
por la gran pareja de Adán y Eva, a unos setenta años del siglo xv. Y en la contracción geográfica achica el escenario de
antes, el mundo entero, y lo convierte en el simple reino de
Castilla. El móvil del poeta es bien claro: podría llamarse,
en general, *acercamiento*. Ya se había iniciado, según muestra Miss Krause, en Petrarca, en Ayala y en otros poetas
del xv. Acercar los personajes al lector, así en el tiempo como
en el espacio. Trocar las abstractas y borrosas fisonomías evocadas por los nombres antiguos, por seres cuyos nombres y
hechos todo el mundo tiene presentes, con fresca precisión.
Porque, ¿cuánto podía conmover, al que no supiera mucho
de historias, el infortunio de Pompeyo? Pero a todos toca-
ba de modo impresionante en la imaginación la desgracia de
don Álvaro de Luna, que estuvo allí, entre ellos, visto, que-
rido u odiado por los mismos lectores de las *Coplas*. Manrique sabía que aproximar es *aprojimar*; que el ser humano se
siente más prójimo de su vecino o de su señor que de Alejandro o Tolomeo. La operación de Manrique es, a mi juicio, mucho más que simple habilidad literaria. Su deseo es
humanizar los ejemplos; cambiar las sombras de ese Pan-
teón augusto en unas figuras de carne y hueso. Sustituir los
desastres oídos, a lo lejos, en la más remota distancia de los siglos, por las caídas, las muertes, acaso vistas por los propios
ojos. Esta humanización lleva en sí otro resultado: la *popu-
larización*. Los reyes de Castilla, sus familiares, los condes-

tables, los conocen todos: Laomedón o Héctor son sólo asequibles a los leídos, a los cultos. No hay duda de que así la poesía llegará a más gentes, moverá a más corazones, estará más cerca de lo humano general, aunque sea en mengua de la pretensión cultista y erudita. Afán en todo ello de abandonar a aquellos muertos *muertos,* y sustituirlos con estos muertos *vivos,* por más paradójico que suene eso de vivificar a unos muertos. Manrique aparta la gran mascarada secular, los figurones ataviados con toda clase de trapajería histórica deslucida, y erige esa breve galería de varones con hombres de su tierra, con semblantes conocidos y vestidos a la usanza del tiempo. Es, en suma, un resultado de veracidad realista; pero que no creo que se originara en la voluntad de realismo, sino en el deseo de hacer surtir poesía de donde nada brotaba, de aquellas secas listas de nombres, arenales baldíos.

También puede encuadrarse este procedimiento manriqueño dentro de otra tendencia, muy despierta en el siglo xv, y sintomática del Renacimiento: es la nacionalización. Al rango de héroes pueden aspirar las gentes nacidas en Castilla, con el mismo título que los extraños. Macías el. trovador, doña María Coronel, el Conde de Niebla, entre muchos, y por eso Juan de Mena los admite en su *Laberinto.* Y antes, Fernán Pérez de Guzmán ya dio una de las primeras señas de esa corriente en la poesía, con sus *Claros varones de Castilla,* colección de biografías en verso de reyes y eminencias de España.

Se impone decir, como hay que decirlo casi siempre estudiando a Jorge Manrique, que esa técnica de la nacionalización de los personajes ofrecidos como ejemplos venía usándose ya en la poesía de su tiempo. Así pudo verse en el pasaje citado de Martínez de Medina. Y en el *decir* de Sánchez Calavera a la muerte de Ruy Díaz de Mendoza, el poeta se entrega a la pregunta de costumbre, el dónde están. refiriéndose a

otros señores que ha pocos días
que nosotros vimos aquí estar presentes.

El duque de Cabra e el Almirante
e otros muy grandes ases de Castilla...

Pero sobre estos casos de nacionalización practicada de modo más o menos consciente, valen unos versos de Gómez Manrique, manifestación explícita del propósito de ir a buscar en lo coetáneo, y en el propio suelo de Castilla, los personajes dados en ejemplo:

> *Para probar mi proposición*
> *tantos imperios, provincias, rigiones*
> *fallo sin duda e grandes varones*
> *que si de todos hiciese mención*
> *muy tarde vernía a la conclusión:*
> *por tanto, dejando enxiemplos antiguos,*
> *sólo vos quiero traer dos testigos*
> *que fueron ayer, en nuestra nación.*

Esta estrofa de la *Consolación a la Condesa de Castro* revela mucho: que él conoce a saciedad la famosa nómina, que sabe que de citarla completa no acabaría nunca; y que para abreviar apela a dos casos, nacionales y recientísimos. Visible está ya el cansancio, a causa de la enumeración prolija, la intención de imponerle alguna variante: es decir, se apunta al camino que Jorge Manrique acertará, sin vacilar.

Y en esta técnica de *contemporaneizar* el esquema del *ubi sunt*, ¿no podría oírse acaso, más allá del hecho material de modernizar el recurso estilístico, algo como una propensión a atender a la vida cercana, a la experiencia dolorosa personal, más que a las historias remotas, tal y como lo dijo Santillana en el *Diálogo de Bias contra Fortuna*?

> Deja ya los generales
> antiguos e ajenos daños
> que pasaron ha mil años
> e llora tus propios males.

Manrique lleva al extremo esa modernización de la lista ilustre; porque de manera radical, en lugar de hacer convivir en ella—como otros poetas—a los antiguos y extranjeros con los nacionales, se atiene exclusivamente a éstos y echa por la borda a los emperadores romanos y a los sabios de Grecia. Y se queda solo, en su Castilla, con los suyos, y nos los empuja a la atención, a que cumplan su fúnebre oficio de escarmentadores.

LOS MUERTOS EJEMPLARES DE LAS "COPLAS"

> Dejemos a los troyanos,
> que sus males no los vimos,
>   ni sus glorias;
> dejemos a los romanos,
> aunque vimos y leímos
>   sus historias.
> No curemos de saber
> lo de aquel siglo pasado
>   qué fue de ello;
> vengamos a lo de ayer,
> que tan bien es olvidado
>   como aquello.

> ¿Qué se hizo el rey Don Juan?
> Los Infantes de Aragón,
>   ¿qué se hicieron?
> ¿qué fue de tanto galán,

qué fue de tanta invención
    como trajeron?
Las justas y los torneos,
paramentos, bordaduras
    y cimeras,
¿fueron sino devaneos?
¿qué fueron sino verduras
    de las eras?

¿Qué se hicieron las damas,
sus tocados, sus vestidos,
    sus olores?
¿Qué se hicieron las llamas
de los fuegos encendidos
    de amadores?
¿Qué se hizo aquel trovar,
las músicas acordadas
    que tañían?
¿Qué se hizo aquel danzar
y aquellas ropas chapadas
    que traían?

Pues el otro, su heredero,
don Enrique, ¡qué poderes
    alcanzaba!
¡Cuán blando, cuán halaguero
el mundo con sus placeres
    se le daba!
Mas verás cuán enemigo,
cuán contrario, cuán cruel
    se le mostró,
habiéndole sido amigo,
¡cuán poco duró con él
    lo que le dio!

Las dádivas desmedidas,
los edificios reales
        llenos de oro,
las vajillas tan fabridas,
los enriques y reales
        del tesoro;
los jaeces y caballos
de su gente y atavíos
        tan sobrados,
¿dónde iremos a buscallos?
¿qué fueron sino rocíos
        de los prados?

Pues su hermano el inocente,
que en su vida sucesor
        se llamó,
¡qué corte tan excelente
tuvo y cuánto gran señor
        que le siguió!
Mas como fuese mortal,
metióle la muerte luego
        en su fragua.
¡Oh, juicio divinal,
cuando más ardía el fuego
        echaste agua!

Pues aquel gran Condestable,
Maestre que conocimos
        tan privado,
no cumple que de él se hable,
sino sólo que le vimos
        degollado.
Sus infinitos tesoros,
sus villas y sus lugares,
        y mandar,

¿qué le fueron sino lloros?
¿fuéronle sino pesares
    al dejar?

Pues los otros dos hermanos,
Maestres tan prosperados
    como reyes,
que a los grandes y medianos
trajeron tan sojuzgados
    a sus leyes;
aquella prosperidad
que tan alta fue subida
    y ensalzada,
¿qué fue sino claridad
que cuando más encendida
    fue matada?

Tantos Duques excelentes,
tantos Marqueses y Condes
    y varones
como vimos tan potentes,
di, Muerte, ¿dó los escondes
    y traspones?
Y sus muy claras hazañas
que hicieron en las guerras
    y en las paces,
cuando tú, cruel, te ensañas,
con tu fuerza las atierras
    y deshaces.

Las huestes innumerables,
los pendones, estandartes
    y banderas,
los castillos impugnables,
los muros y baluartes

> y barreras,
> la cava honda, chapada,
> o cualquier otro reparo,
> ¿qué aprovecha?
> Cuando tú vienes airada
> todo lo pasas de claro
> con tu flecha.

A siete desaparecidos ilustres convoca únicamente Jorge Manrique en sus *Coplas* como testigos de prueba en este juicio contra las vanidades del mundo: el rey don Juan, los infantes de Aragón, Enrique IV, el príncipe don Alfonso, el gran condestable don Álvaro de Luna y los favoritos Juan de Pacheco y Beltrán de la Cueva. (Don Rodrigo Manrique ocupa, y con ciertos títulos, ya que fue el causante sentimental de las *Coplas,* un lugar aparte, que examinaremos.) Lo primero que llama la atención es que se omite el nombre de cuatro; se alude a ellos, a lo que hicieron y a sus desastres, de modo que se les distinga inequívocamente, pero no se les nombra, porque el poeta sabe que todo el mundo les identificará sin pena. Esa omisión se usa, sin duda, con un objetivo psicológico: que el mismo lector se diga lo que no se dice expresamente, que pronuncie en su ánimo el nombre del desastrado; en suma, que le reconozca por su desgracia.

Vimos al tratar del *ubi sunt* que el rodar de esta convención la había ido deshumanizando; se componía de meros nombres, todos seguidos; o si acaso se añadía algún adjetivo o breve predicado: "el fuerte Sansón", "rey Don Enrique de muy gran valía". (Tan sólo Martínez de Medina se aparta de este sistema, pero por vía erudita.) Manrique siente que a cada nombre debe acompañar algún detalle que le determine, que le distinga, facilitando la operación psicológica buscada: el evocar. El personaje aparece rodeado de sus cosas, de un cierto número de particularidades que proyectan sobre él una luz de vida distinta. Dedica a cada figura, ya una, ya dos estrofas, que vienen a constituir unas elegías *mínimas* individuales, las cuales, sumándose unas a otras, confluyen en una soberbia tonalidad elegíaca común. Pero esos pormenores relativos a cada víctima no se escogen a capricho. Todos ellos pertenecen a "los bienes del mundo", son grandezas, o delicias, temporales.

Aquí se revela una nueva variante potenciadora de Manrique. Ya dijimos que la pregunta del "¿Dónde están?" podía referirse, a más de a personas célebres de la historia, a grandes imperios, a famosas ciudades, o simplemente a caudales y posesiones del mundo. Todo ello, hundido en el tiempo, mudo para el que interroga, da, con su desaparición total y definitiva, indicio de su poca firmeza y efímero valor. Algún poeta, el mejor de todos los que trataron ese tema en el *Cancionero de Baena*, Sánchez Calavera, en el "Decir a la muerte de Ruy Díaz de Mendoza" aplica la pregunta, no a figuras históricas, sino a grandezas y bienes temporales, a cualidades materiales:

> Pues ¿dó los imperios e dó los poderes?...
> ¿A dó los orgullos, las famas, los bríos?...
> ¿A dó los tesoros, vasallos, servientes?...
> ¿A dó los convites, cenas e ayantares,
> a dó las justas, a dó los torneos?

Nos encontramos, pues, por un lado, con una enumeración de grandes hombres, por otro con una secuencia de palabras significativas de riqueza, poderío o excelencia en este mundo. En las *Coplas* Manrique reúne las dos cosas, junta el hombre y los bienes. Cuando habla de Enrique IV, se le ve en la cima de su pujanza, disfrutador de los placeres terrenos. Vajillas de oro, monedas, paramentos, caballos, atavíos: y en el centro el poseedor feliz de tanto don. Don Álvaro de Luna se aparece, a su vez, señor de infinitos tesoros, de villas y lugares. Es el hombre; y su mundo. ¡Cómo aumentará así la lección ejemplar, cuando el poeta, al final de la corta presentación del personaje, nos haga ver su desastrosa caída! Porque con el hombre irán arrastrados a la desaparición aquellas posesiones falaces, aquellas opulencias de mentira. El rey don Enrique caerá entre un derrumbe de monedas y corceles, de jaeces y atavíos; el poderoso y acaudalado desaparece entre los escombros de las perecederas tramoyas del mundo; y quedan así ejemplarmente castigados, del mismo golpe, la soberbia de la persona y lo inane y vano de las realidades temporales en que la cimentaba.

SENSUALIDAD Y DOCTRINA: LA VIDA TRIUNFADORA

En este recurso se le abrió a Jorge Manrique la gran ocasión de grandeza de su poema, que aprovechó genialmente en las coplas tan famosas, la 16 y 17. El personaje ejemplar es el rey don Juan II, pero el monarca no vale por sí: sirve como centro de un círculo, de un ámbito humano, en el que bullen animadamente las formas más exquisitas de la vida: la Corte. Apenas nombrado don Juan, el poeta lo abandona y moviliza ante nuestra imaginación el fastuoso y alegre espectáculo del vivir palatino. Jorge Manrique ha encontrado algo de más alcance significativo que un varón eminente, emperador o rey, para encarnar su ejemplo. Es un personaje plural en el que están insertos la figura dominante del rey y un golpe de figuras menores, los cortesanos, damas, trovadores, galanes, danzarines, justadores. ¿El mundo? Sí, el mundo, la sociedad de los hombres en su grado de mayor afinación y hermosura. La corte es concentración y apogeo de los placeres terrenales de más subida exquisitez. A ella van a parar los primores de toda suerte. Es una minoría de perfecciones; de las damas, las de mayor gracia; de los caballeros, los de más garbo e ingenio; de los trovadores, los más sutiles; de los señores, los más poderosos. Más que el mundo, lo mejor del mundo, la flor de la vida. Como los personajes, los actos: regocijos, júbilos organizados, alegrías de salón y de torneo, amores acendrados por la poesía, festines entre música. Nunca los bienes mundanos se le presentaron al hombre más lúcidos ni seductores. Parece como que aquí concentran toda su fuerza de hechizo y captación. Serán mentirosos, como afirmó el filósofo, pero, ¡qué apariencias tan preciosas, tan agraciadas, tan irresistibles, las de esa mentira! ¿Habrá muchos que las resistan? Eso es la corte. Nos ponen esas estrofas en uno de los momentos culminantes de la lucha, entre lo eterno y lo temporal, representada en .este encuentro terrible entre la corte y la muerte. Combate de poder a poder.

Otro personaje hay que yo vislumbro, el más conmovedor de todos, allí en medio de ese torbellino de los encantos cortesanos. El mismo poeta, Jorge Manrique. ¿Quién no siente que esos placeres no le fueron ajenos? ¡Cómo no recordar ahora sus poesías amatorias, que forman el mayor bulto de todo lo que escribió! Poesías son de corte, empapadas de sensualismo cortesano.

> *¿Qué se hicieron las llamas*
> *de los fuegos encendidos*
> *de amadores?*
> *¿Qué se hizo aquel trovar?*

En esas llamas avivadas por tanto soplo retórico, se ardió el poeta. Y él fue uno de los trovadores de aquel incesante trovar de palacio. Hay en estos 24 versos un temblor, un estremecimiento que los distingue y los separa de todos los demás de la elegía, trémolo carnal, el temblor de la sensualidad, el temblor de los goces de los sentidos. ¡Qué finamente está recordado el ejercicio de todos ellos! Para la vista, la hermosura de las damas, de sus tocados y sus vestidos, los paramentos, bordaduras y cimeras de los caballeros del torneo; para el oído, el trovar, y "las músicas acordadas"; los olores perfumados dan su parte al olfato; y cuando el poeta habla de las "ropas chapadas", casi se las siente táctiles, con su pesada y suntuosa riqueza. No hay poeta entero si le falla el don de la sensualidad. Podrá rendirse a ella sin condiciones como un Ronsard; podrá entretejerla con primor de encaje, con lo intelectual, como John Donne; podrá purificarla, domeñando de tal manera sus ardores que los ponga al servicio de lo más espiritual, como San Juan de la Cruz. Pero allí está siempre. Jorge Manrique, alma pudorosa, arrepentido de sus devaneos eróticos de las poesías menores, la mantiene celada e invisible en 38 de las 40 estrofas de sus *Coplas;* pero en estas dos le hace traición. A la elegía se le suben los colores, como a una cara; se sonrosa de vida. Y es lo extraño en estos versos evocadores de la corte que queriendo ser castigo del engaño de los sentidos y la sensualidad nos acaricien los sentidos, nos empujen a la complacencia en lo sensual. La alta visión ascética que se mantiene tan firme en todo el poema desfallece por un momento, sin querer, y entre las cláusulas y los propósitos homiléticos sonríen, antiguas sirenas, las tentaciones. En las tierras castellanas también se desarrolla la campiña descarnada y monda en suaves ondulaciones, como las *Coplas;* sin embargo, entre dos severos alcores se halla el viajero, maravillosamente sorprendido, con un rincón donde inspirados por algún arroyuelo se apiña una arboleda, se atreven unas flores y se puebla el aire momentáneamente del pío de las avecillas. Éste es en el poema de Manrique el breve e intensísimo oasis, aislado para nuestro placer eterno entre los roquedales sentenciosos y las llamadas explicativas.

Es curioso cómo están colocados los personajes ejemplares en este trozo de las *Coplas.* Se extraña el Sr. Cortina de la quiebra en el orden cronológico que supone la inserción de don Álvaro de Luna. Es que el orden no es cronológico, es un orden que podríamos llamar jerárquico. Primero los reyes, don

Juan y don Enrique, en seguida el príncipe don Alfonso, después el gran Condestable, don Álvaro, y los maestres, y por último, cerrando la comitiva, ya indistintos y plurales, "tantos duques excelentes / tantos marqueses y condes / y varones". Ese sentido de orden que todo lo clasifica conforme a rango, típico de la Edad Media, es el que prevalece en este caso. Ha observado el profesor Kittredge en su libro sobre Chaucer lo falso de esa noción de la Edad Media como una época amorfa y caótica, sin ley; cuando en verdad el principio de ley y orden dominan en ella. "La consigna del escritor medieval es la ley, no la licencia". Hasta en ese detalle de la sucesiva presentación de las magnas figuras ejemplares en las *Coplas* es observable esa sujeción, esa costumbre de querer poner a todos en el lugar que ordenadamente les corresponde.

LA LABOR DE LOS DESENGAÑADORES

Continúa Jorge Manrique moviendo en esa parte de las *Coplas* a los tres desengañadores de las apariencias del mundo. El trío de la muerte, el tiempo y la fortuna son los que derrocan a los hombres ejemplares, los que dan fin a los placeres. El tiempo se encarga de acabar con las delicias de la corte; al compararlas con las verduras de las eras, con las florecillas campestres, se quiere indicar su fugacidad, su incapacidad de resistir al tiempo. También él se traga en su marcha voraz las riquezas del rey don Enrique, sus dineros y sus lujos; ahora la imagen de la fugacidad toma por forma los rocíos de los prados, su corta vida entre el alba y la mañana. La fortuna es la que apea de su grandeza a don Álvaro de Luna y a los dos condestables después de haberles subido engañosamente a lo alto de su rueda. Y el tercer personaje de esta trinidad destructora actúa con terrible patetismo sobre el príncipe don Alfonso. En plena juventud "metióle la muerte luego / en su fragua". Se compara la inesperada defunción por el poeta, con vívida exactitud, a la acción del agua cayendo sobre el fuego cuando más arde, y matándole. Al final de este trozo Jorge Manrique realza con pavorosa grandiosidad el papel de uno de los tres debeladores: la muerte, terrible agente de destrucción de las grandezas y gustos del mundo. Las estrofas 23 y 24 son como un pequeño canto a la muerte dentro del canto general del poema. Alinea el poeta ante nuestros ojos lo que en la Edad Media era el mayor signo de fuerza y de poder: el arsenal guerrero. Hoy día la capacidad de poder del hombre nos da sus señas en mil formas pacíficas, en las maravillosas construcciones de las ciudades, en las invenciones maquinarias, en el dominio de las fuerzas naturales obtenido en los laboratorios. Pero en el siglo xiv sólo se alzan como símbolos de potencia la catedral y el castillo. En una, el hombre, si bien manifiesta su poder, lo humilla al servicio de Dios. En el otro, el poder humano se enraíza en lo terrenal y en lo material; y las fortalezas, los castillos, los armamentos se imponen a las almas amedrentadas como fuerzas incontrastables. Por eso Jorge Manrique las encara a la muerte. En la estrofa 24, definidos suficientemente, aunque con leves rasgos, se nos dan los ejércitos, innúmeros, con sus estandartes y banderas, las ciudadelas, sus sucesivas defensas, muros, baluartes, barreras y cavas. El poeta acumula todas estas apariencias de poder en 8 versos para oponerlas luego a una acertadísima imagen de la muerte representada en algo tan breve, ligero y agudo como es una flecha. Ésa es la flecha sobrenatural que puede con todo y todo lo atraviesa, cuando la dispara la voluntad de la muerte. Impresionante efecto, sentir que tantas masas de piedra, tantas láminas de hierro no valen contra una, contra una sola saeta, y que el gran peso, el enorme poderío de la muerte, se condense y afine todo en esa forma leve de una varilla con la punta acerada.

Después de este soberbio desarrollo de la ejemplaridad se entra por fin a hablar del maestre don Rodrigo Manrique, otro muerto ilustre. Es el último, quizás, en esa lista de los ejemplares, pero es el primero en el corazón del poeta, su propio padre, el motivo de la elegía. La estrofa 25, donde introduce su figura, es una muestra habilísima en el arte de la transición. Estrofa, por así decirlo, bifronte, mira por un lado al desfile de los grandes muertos, a él pertenece; y por otro se desprende delicadamente de ellos, se alza con toda la independencia de ser un muerto especialísimo, el muerto de Jorge Manrique, el centro de afección de las *Coplas*. Y ahora se queda él sólo en la elegía. De aquí en adelante toda la poesía de su hijo será un acarreo de conmovidos materiales con que ir labrando el pedestal a su memoria:

> *Aquel de buenos abrigo,*
> *amado por virtuoso*
> *de la gente,*
> *el Maestre don Rodrigo*
> *Manrique, tanto famoso*
> *y tan valiente,*
> *sus grandes hechos y claros*
> *no cumple que los alabe,*
> *pues los vieron,*
> *ni los quiero hacer caros,*
> *pues que el mundo todo sabe*
> *cuáles fueron.*

EL MUERTO, DON RODRIGO

La inteligencia constructiva de las *Coplas* no falla ni en un solo momento del gran poema. He oído a veces expresar extrañeza a algunas personas porque siendo las *Coplas* una elegía dedicada a la muerte de su padre se pasa más de la mitad de la obra sin que él dé señas de presencia en el poema, ni el poeta se refiera para nada precisamente a aquel ser que le indujo a escribir. Yo lo tengo, al contrario, por otro ejemplo de afrontar la imagen de su padre por una pendiente de delicadísima sensibilidad, a la par que por una gradación de lógica evidencia. Expresé antes mi idea de que un gran tema de las *Coplas* es la mortalidad y creo que el examen del curso del poema hasta ahora me justifica. Comienza Manrique por hablar de la mortalidad misma, de la inescapable condición del mortal, de todos los hombres, *nuestras* vidas. La exposición de la idea se inaugura con amplia y solemne majestad. Viene seguido la denuncia de lo mortal, de la brevedad, de los bienes del mundo, siempre manteniéndose el poema en los niveles de lo abstracto y genérico. Llega el momento de tocar tierra, y se alzan en el escenario los muertos ilustres, los demostradores involuntarios de la idea prima; los individuos suceden a las sentencias. Y en el mismo punto en que termina la procesión de sus sombras se separa del cortejo de los muertos egregios, uno: don Rodrigo. Uno de tantos, si se mira a la cuantiosa comitiva de próceres, pero el más valioso de todos para el sentir del poeta. ¿No empieza a aclararse ahora la traza espiritual del poema? Las veinticuatro estrofas primeras son la vía abierta por el poeta hacia su padre y que, iniciada en su mayor anchura—la inmortalidad—, va estrechándose—lo mortal—, se angosta más y más—los muertos—, hasta ir a dar en su vértice y final —el muerto—, don Rodrigo. Ese método intensificativo nos va cargando lentamente de pensamientos de lo mortal, que irán a concentrarse todos, con apresada angustia, en el postrer muerto, el Maestre. Sobre él viene a pesar la espléndida serie de representaciones anteriores, a modo de pirámide invertida. El tino milagroso del poeta se hace evidente. Los dos extremos del desarrollo del poema se tocan: la humanidad toda, de siempre, los innúmeros muertos, se encuentran con un solo muerto. Toda la mortalidad se reduce a una muerte; pero esa muerte representa a su vez toda la mortalidad. Así conjuga Jorge Manrique impersonalidad, la visión alta y distante de un alma sobre la vanidad del mundo, y personalidad, la vista conmovida de su padre muerto, aquí, a su lado.

No se había olvidado, no, Manrique, de su padre, ni era divagación generalizadora lo que antes de llegar a él canta el poema. Estaba situándole, por decirlo así, poniéndole en su sitio. Enfocar sobre él todas las luces del poema, desde el primer instante, adelantar la figura del Maestre a la primera estrofa, atendiendo al mandato del dolor personal del poeta, habría parecido acaso confinamiento en un sentir individual, orgullo y soberbia. Es menester colocar al muerto en el seno de su gran familia, todos los muertos, bajo el palio del gran hecho, la mortalidad: así lo manda la humildad cristiana y el sentido de la proporción. De nuevo el orden medieval, pero interpretado por una incomparable delicadeza de sensibilidad. Ahora ya está don Rodrigo en su lugar. Y puede su hijo el poeta, después de este camino de señoril paciencia, de estrofa en estrofa, cantar su grandeza. Su grandeza, no ya desvanecida y ufana, porque ahora se la ve encuadrada en la pequeñez de un marco inflexible: lo mortal; idea inherente a todo lo humano, que los versos precedentes han ido persuasivamente grabando en nuestra conciencia.

EPICEDIO DEL MAESTRE: ESTILIZACIÓN CULTISTA Y REALIDAD HUMANA

Conforme con la valoración afectiva del poeta por este muerto, único entre todos, su padre, se le consagra espacio mucho más generoso que a ninguno de los otros muertos ejemplares. Al fin y al cabo don Rodrigo es algo más que un ejemplo, como eran don Juan, don Enrique y don Álvaro; es el protagonista de la elegía. Las ocho estrofas, de la veinticinco a la treinta y dos, son puramente panegíricas. Se abren por una alabanza de su bondad y su virtud; dice don Jorge que no es necesario que él ensalce los hechos del Maestre porque son de todos conocidos. Lo que siga no será, pues, sino a modo de recapitulación de ese saber común.

Se ha hablado de esta parte del poema como de una oda renacentista. Veo yo en ella más afinidad con los *Loores* de Fernán Pérez de Guzmán. La idea de la fama terrenal alumbra no pocas obras literarias del siglo xv en Castilla. Pérez de Guzmán tiene perfecta conciencia de lo que significa cuando escribe: "La buena fama, cuanto al mundo, es el verdadero premio e galardón de los que bien e vertuosamente por ella trabajan". Pero, ¿cómo se salva ese premio del olvido? Ya lo dijo Horacio, muchos siglos antes, y así lo repite ahora Pérez de Guzmán: "Se conserva e guarda en las letras".

Cuando en Castilla empieza a medrar ese impulso hacia la *nacionalización* de los varones ejemplares, al que ya aludimos, surge una literatura que se propone salvar la fama de los españoles ilustres. En obras históricas en prosa lo hacen, entre otros, el mismo Fernán Pérez de Guzmán, con sus *Generaciones y semblanzas*, y más tarde Hernando del Pulgar. También ciertas crónicas particulares, más encariñadas con el historiado que con la justicia histórica—así las de don Álvaro de Luna y el conde Pero Niño—, podrían entenderse como credenciales de fama extendidas a esos caballeros. En la poesía se cita siempre a Juan de Mena, a su galería de famosos españoles desplegada en el *Laberinto*. Si de escaso valor poético, tienen gran valor como representación del género los *Loores de los claros varones de España*, de Pérez de Guzmán. Parte el poeta de esa idea que expuso en prosa de que sólo la escritura guarda del tiempo a los grandes hombres. España ha tenido muchos, pero le han faltado poetas que registren sus hazañas:

> *España non careció*
> *de quien virtudes usase,*
> *mas menguó e fallesció*
> *en ella quien las notase.*

Pérez de Guzmán se pone, pues, a la obra con toda deliberación y claridad de propósito. Empieza por Gerión y va enhilando una serie de biografías de emperadores como Trajano y Teodosio, y de reyes de España. Cada biografía es un poemita histórico panegírico; en parte relata los hechos guerreros del difunto y en parte exalta sus virtudes.

Jorge Manrique conservará los dos elementos de este tipo de poema, pero potenciándolo con su genio poético. Viene primero el encomio, la alabanza entusiasta del maestre don Rodrigo, compuesto de tres estrofas:

> *¡Qué amigo fue para amigos!*
> *¡Qué señor para criados*
> *y parientes!*
> *¡Qué enemigo de enemigos!*
> *¡Qué Maestre de esforzados*
> *y valientes!*
> *¡Qué seso para discretos!*
> *¡Qué gracia para donosos!*
> *¡Qué razón!*
> *¡Cuán benigno a los sujetos!*
> *¡A los bravos y dañosos,*
> *un león!*
>
>
> *En ventura Octaviano;*
> *Julio César en vencer*
> *y batallar;*
> *en la virtud, Africano;*
> *Aníbal en el saber*
> *y trabajar:*
> *en la igualdad un Trajano;*
> *Tito en liberalidad*
> *con alegría;*
> *en el brazo, un Aureliano;*

> *Marco Tulio en la verdad*
> *que prometía.*
>
> *Antonio Pío en clemencia;*
> *Marco Aurelio en igualdad*
> *del semblante;*
> *Adriano en elocuencia;*
> *Teodosio en humanidad*
> *y buen talante.*
> *Aurelio Alexandre fue,*
> *en disciplina y rigor*
> *de la guerra;*
> *un Constantino en la fe;*
> *Gamelio en el grande amor*
> *de su tierra.*

La técnica general de esta parte es la tan usada enumeración panegírica, que consiste en una especie de relación o inventario de las excelencias del difunto; que unas veces se mencionan, tan sólo otras se dedica a cada una una breve frase. Es una forma más de esa afición a las series, a la presentación en listas, de las cosas o las personas que tuvo la Edad Media, y que tanto recarga sus obras literarias. Hay que distinguir entre esas tres estrofas. La primera es una serie de cortas frases exclamativas paralelas. El poeta las va poniendo como pequeñas coronas funerales, ofrecidas a las virtudes del Maestre—su seso, su gracia, su razón, su benignidad—, al pie de la memoria de su padre. Gómez Manrique había usado un recurso análogo en su poesía dirigida precisamente a don Rodrigo, pero cuando estaba aún en vida:

> *En las armas virtuoso,*
> *en la corte buen galante,*
> *a los amigos gracioso,*
> *a los contrarios sañoso.*

Aquí hay un puro catálogo de cualidades que se suceden sin separación dentro de la estrofa. El arte perfeccionador de don Jorge aporta dos modificaciones. Separa las frases y de esa manera aísla cada virtud, con lo cual la destaca y realza; luego las eleva a tono exclamativo, de suerte que en vez de ser un frío registro de cualidades se conviertan en una ascendente escala de admiraciones y se acerquen más a la tensión lírica. Dada la influencia que tuvo en el estilo medieval el repertorio de formas usado en el lenguaje de la Iglesia y en el culto, no es aventurado presumir el eco de las letanías detrás de estos versos.

Para las otras dos estrofas, el poeta se vuelve a otro recurso, señalado por Curtius, en su estudio sobre Jorge Manrique "und der Kaisergedanke". La grandeza de un varón sólo se aprecia por comparación con los paradigmas de humana excelencia comúnmente admitidos en la historia, con los grandes hombres del pasado. Cualquier caballero debe tender a emular sus magnos hechos. Al fin y al cabo, ser caballero es vivir conforme a normas y a modelos. Y así, señala Huizinga, se crea "un culto de los héroes en que se confunden los elementos medievales y los renacentistas". Se va formando un abigarrado repertorio de nombres, pertenecientes al mundo antiguo, o al de la Edad Media. En lo más alto de ese grupo de modelos para el caballero están *les neuf preux,* los nueve próceres de la Fama, tres paganos—Héctor, César, Alejandro—, tres judíos—Josué, David, Judas Macabeo—, y tres cristianos—el rey Artús, Carlomagno y Godofredo de Bouillon. El mismo historiador nos indica que para no hacer de menos al sexo femenino, se inventó otra novena de mujeres famosas, a las que se encuentra figuradas, en compañía de los nueve varones, en tapices del siglo xv. Todo candidato a la Fama habrá de tomarse las medidas de su presunta grandeza por ese magno rasero, para ver si da la talla de lo excepcional. Así, por ejemplo, Gómez Manrique, al glorificar en su *planto* al Marqués de Santillana, emplea una serie de comparaciones panegíricas encadenadas; los varones comparados por sus virtudes con el gran muerto son Fabio, César, Camilo, Livio, Marco, Marcelo, Castino y Mario, en el prólogo; y en el curso del poema, Santo Tomás, Héctor, Alejandro, Augusto, Catón, Darío, Aquiles, Codro, Mucio, Escipión, etc. El nuevo muerto, el neófito de la Fama, aparece de ese modo sumándose a un imponente cortejo de celebridades, con quienes se va parangonando, e ingresa en el recinto de la gloria apadrinado por los ecos magníficos de tanto ilustre nombre. Se establece además, con ello, una comunidad de todos los tiempos, hermanos en grandeza por encima de los siglos. Censo egregio, algo así como un *who is who*, de la aristocracia de los famosos. Una nueva lista, también, de muertos excelsos, aparentemente semejante a la del *ubi sunt*. ¡Pero cuán distinta en su esencia! Porque en aquéllas los muertos insignes se alegaban como testigos de que todo pasa, de que la grandeza temporal es cosa vana. Lista falaz de los engañados apuntando a desengañarnos a nosotros. Pero esta otra enumeración del panegírico da a entender lo contrario; los afamados permanecen y la glorificación terrenal resiste a los tiempos. Lista de los engaños. Dos actitudes frente a frente, dentro del poema. La orgullosa de la paganía, la de los desvanecidos poetas, desde Horacio—*Exegi monumentum aere perennius*—hasta la del *artista*, Gautier, o el *divino*, Victor Hugo. Y la otra, la ascética empezada a entonar en la filosofía estoica y alzada en la literatura adoctrinada cristiana a soberbio cántico incesante sobre la nada de lo temporal.

Estas dos nóminas son puro tópico estilístico, recurso de cajón al que echan mano todos los poetas sin reparo alguno. Pero en ellas está recogido el incesante combate entre temporalidad y eternidad, y cada una cobra significación de agonista en la tremenda lucha, al alzarse frente a la otra. Queda estratificado en la retórica el mismo choque a que asistimos dentro del alma de Petrarca, entre la Fama y su menosprecio. Una prueba del poder sintetizador del poema de Manrique es que en su poema se encuentren, tan próximas, las dos convenciones estilísticas. Nada más natural, ya que, como acabamos de decir, en ellas se personifican lo temporal y el desprecio por lo temporal, los dos grandes adversarios que se traban a pelear en las *Coplas*. Manrique no quiere privarse de ese recurso de la comparación panegírica enumerativa, cuando llega el momento de exaltar la figura de su padre. Hay en la Edad Media una tradición *menor*, la enumeración laudatoria de emperadores y varones ilustres de la antigüedad. Llama la atención E. R. Curtius sobre la coincidencia de algunos de los nombres de grandes hombres que aparecen en la *Primera Crónica General* con los usados por Manrique en el panegírico de su padre, y estudia sagazmente el curso del tema en España. Manrique, según él, funde en su tratamiento personal del tema, coplas 27 y 28, ideas nacionales, devociones romanas, herencias de cultura medieval y humanismo. Nos obliga Curtius a desechar el juicio de Menéndez Pelayo, "esas dos estrofas pedantescas y llenas de nombres propios", haciéndonos percibir la significación histórico-cultural de esa nómina y su alcance espiritual. Nos confirma, asimismo, por el modo tan suyo que tuvo de adoptar ese recurso, la maestría con que Manrique emplea lo tradicional.

Pero, no obstante, ¡qué diferencia de resultado puramente poético, de efecto sobre nuestra sensibilidad, entre la lista del desengaño, la del *ubi sunt* (a pesar de que aquellos personajes eran menos grandes y universales), y esta del panegírico, la de las ensoberbecidas ilusiones de inmortalidad! Transcurre el lector por estas dos coplas como por una breve galería de un museo de vaciados, entre dos filas de bustos de yeso, sin pena ni gloria, indiferente, a lo sumo. Menéndez Pelayo, errando en la valoración cultural del pasaje, quizás acertaba al mirarlo con cierta desestima. Porque el parangón con tantos excelsos de poco aprovechará al Maestre cuando le llegue la hora de la muerte; veremos a ese caballero, digno de figurar entre los más famosos, según estas estrofas panegíricas, avisado por la muerte de que esa perdurabilidad de la fama, que se quería ponderar en la lista comparativa, es tan fingida como las demás pretensiones de los bienes temporales, y, como ellas, sujeta a inexorable mortalidad. No creo que Jorge Manrique adorne a su padre con tan suntuosos arreos que le van a durar para siempre. ¿Cómo la fama del Maestre va a ser más resistente que la del rey don Juan y don Enrique, y del gran Condestable? El poema es una lección de desnudez espiritual. Y si ahora don Jorge fatiga la figura de su padre con tanto ropaje encomiástico, es para que la muerte, en su enseñanza de humildad, de igualdad para todos, se los quite—como hace en la estrofa treinta y tres—con dos palabras. Le alza a la altura de emperadores y varones ilustres, como la Fortuna voluble hacía con su rueda, para rebajarlo después al nivel normal, al de los pastores de ganados, al hombre desnudo y eterno, del nacer y del morir. No se olvide que su padre es el último de los hombres ejemplares del *ubi sunt*: en él quiere también ofrecernos don Jorge espejo y enseñanza de lo falaz de todo bien terreno, hasta el más noble de ellos, la Fama:

> *No dejó grandes tesoros,*
> *ni alcanzó muchas riquezas*
>   *ni vajillas,*
> *mas hizo guerra a los moros,*
> *ganando sus fortalezas*
>   *y sus villas;*
> *y en las lides que venció*
> *caballeros y caballos*
>   *se prendieron,*
> *y en este oficio ganó*
> *las rentas y los vasallos*
>   *que le dieron.*

> *Pues por su honra y estado,*
> *en otros tiempos pasados*

¿cómo se hubo?
Quedado desamparado,
con hermanos y criados
    se sostuvo.
Después que hechos famosos
hizo en esta dicha guerra
    que hacía,
hizo tratos tan honrosos,
que le dieron muy más tierra
    que tenía.

Estas sus viejas historias
que con su brazo pintó
    en juventud,
con otras nuevas victorias
agora las renovó
    en senectud.
Por su grande habilidad,
por méritos de ancianía
    bien gastada,
mereció la dignidad
de la gran caballería
    de la Espada.

Y sus villas y sus tierras
ocupadas de tiranos
    las halló,
mas por cercos y por guerras
y por fuerzas de sus manos
    las cobró.
Diga nuestro natural
Rey de las obras que obró
    si fue servido,
también el de Portugal,
y en Castilla quien siguió
    su partido.

Estas cuatro estrofas que completan el epicedio nos transportan a un tono muy distinto. Manrique continúa con ese método de desarrollo que he señalado antes. Inicia el tratamiento de un tema, desde su visión más abstracta y genérica. ¿Quién es este don Rodrigo cantado hasta ahora? Un paradigma del varón perfecto, una figura ideal, compuesta de abstracciones de virtudes: la liberalidad de Tito, la clemencia de Antonino Pío, la fe de Constantino, la elocuencia de Adriano. La hipérbole cultista, según va añadiendo pincelada a pincelada, le deshumaniza, le distancia de la proporción humana normal. Todos los rasgos de excelencia que se le atribuyen nos distraen de su persona, con el nombre del personaje egregio al que se le compara. Así tenía que ser en la convención estilística, ansiosa de acumular, en jactancia de erudición, nombres y nombres. El personaje comparado salía a veces, y paradójicamente, mal librado de su propio elogio, porque su persona quedaba casi invisible bajo el tropel de modelos. Pero una vez cumplido ese compromiso retórico con su tiempo, Manrique siente que no ha hablado propiamente de su padre. Que en ese conjunto de perfecciones ordenadas por pauta tradicional no asoma verdaderamente nada de su vida humana, de lo que la distinguió. Y apeándose de su cátedra cultista, olvidándose de emperadores, pone su mirada de hijo en el don Rodrigo de esta tierra, tal y como fue en sus hechos. Nuevo ejemplo del descenso a lo concreto tras la complacencia en los vuelos generalizadores. El estilo cambia en conformidad con el nuevo nivel donde se coloca al Maestre. A la pompa cultista, al relumbre que daban los nombres gloriosos, sucede la llaneza expositiva. Y en lugar de lo exclamativo, que nos impide la admiración de golpe, que quiere arrastrarnos con ella, viene ahora el estilo de simple narración, que al exponernos los triunfos del Maestre nos lleve a otro modo admirativo, gradualmente, de hazaña en hazaña.

Esta parte, cuatro estrofas, es la más aparentada, creo, a los *Loores* de Pérez de Guzmán. Ahora ya no contiende don

Rodrigo en virtud con emperadores romanos, lidia en el campo de batalla con adalides moros. Don Jorge no hace en realidad una biografía de su padre: en dos o tres casos alude a hechos precisos, como su campaña frente a los portugueses, en defensa de su rey, y su elección para Maestre de la orden de Santiago, pero prefiere presentarnos el perfil total de su vida y sobre todo su sentido: luchas contra moros, fortalezas y lugares conquistados, ganancias legítimas, hechas a punta de lanza, adversidades frecuentes, maltratos de la fortuna, sobrepujados por su temple de ánimo y de brazo. El varón caballeroso, para serlo cabalmente, debe henchir los años de su vida de esfuerzo y hazaña, en lo físico y en lo moral. La fuerza del brazo, acompañada de la pujanza de ánimo. Con la primera venció don Rodrigo a los moros y a los adversarios de su rey; con la segunda se mantuvo, sin más que un puñado de hermanos y criados, contra el azote del disfavor. Don Jorge acentúa el desinterés del Maestre, que no deja a su muerte caudales ni "vajillas"—signo entonces empleado a destajo como indiciario de opulencia—, dando así a entender los altos propósitos de sus hechos de armas. Y nos dice que las rentas y estados que poseyó, ganados fueron por sus manos; prevención muy oportuna en tiempos en que tantas dádivas hacía el puro favor real. Sin rendirse a los años se nos muestra a don Rodrigo tan hazañero en la edad provecta como en la mocedad, vida derecha e íntegra, sin desmayo en el esfuerzo. (Uno de sus más renombrados triunfos militares, la toma de Uclés, lo logró meses antes de su muerte, en el mismo 1476, dice la historia, corroborando a don Jorge.) Las estrofas biográficas son muy similares de tono a los *Loores* de Pérez de Guzmán:

> *Éste ganó de paganos*
> *castillos e villas fuertes,*
> *non sin sangres e sin muertes*
> *de moros e de cristianos...*
> **Trabajos exteriores**

> asaz ovo con paganos,
> non menos interiores
> con sus propios castellanos.

Es el mismo tono de sencilla relación, que ni se pierde en la vaguedad ni se apesadumbra de detalles; idéntico el propósito de que presenciemos al caballero haciéndose en sus propias obras, realizando su grandeza paso a paso. Con ello se alegan pruebas de su virtud—anteriormente afirmada, sin más—y se exponen sus derechos a ser comparado con los altos modelos históricos.

El epicedio es dentro del poema una parte perfectamente discernible de las demás. Creo que debe distinguirse de lo que sigue, de la muerte propiamente dicha. Forma un todo en su intención panegírica, y, sin embargo, es lugar de confluencia de dos puntos de vista y de dos procedimientos literarios. Primero se mira al Maestre desde el miradero, retóricamente obligatorio, de la hipérbole cultista, de la avezada fórmula de la serie de comparaciones superpuestas con las celebridades de la antigüedad. Es luz de teatro, proyectada sobre su apariencia en un escenario pomposo a la romana, por las baterías histórico-eruditas. Y luego se le saca a las puras claridades de la meseta castellana, a las honradas luces del alto Duero o de la Mancha, y aquí se le ve en su persona, en sus días, en su tierra, como ser humano cabal y no como figuración apersonajada. La estilización cede el paso al realismo histórico. ¿Logra perfecta armonía esta duplicidad de visiones y tonos del epicedio? ¿Ensamblan las estrofas de la vanagloria con las de la verdad? No parece que el muerto ingrese en el rango de héroe de museo, de personaje de galería, al que le empujaban las estrofas retóricas. En cambio, sí, si se le mide como a héroe de la tierra, como a varón de virtudes humanas, de carne y hueso, de su Castilla y de su tiempo. El poeta, al aparejar estilización e historia real, hace eso, poner par a par, convivientes en el mismo trozo, dos elementos que no llegan a fundirse, a resolverse en unidad. Le seduce el brillo retórico, el desfile de emperadores, familiar en su tiempo; pero le manda con más imperio la luz de la verdad, de lo que su padre hizo en el mundo. Se halla, en este punto, en la situación de tantos autores del siglo xv, la de Alfonso Fernández de Toledo, la de Fernando de Rojas, oscilantes todos entre esos dos círculos de lo expresivo, a los que me atrevería a llamar liberalmente los latines de Petrarca y el romance de las comadres, los discursos inflados de Calisto y el habla de Celestina.

ARTE DE MORIR

Casi todo el esfuerzo intelectual de la Edad Media lo preside el ansia de enseñar. Los hombres están divididos con grandiosa simplicidad en dos grupos, uno inmenso, el innumerable rebaño de los humildes de alma e ignorantes de letra, que viven resignadamente, esperando, con su poco saber; y el otro, reducido a minorías, el de los sabios, los cultos, aquellos clérigos que, recluidos en sus celdas o en los escritorios monásticos, traducen, compilan, interpretan, vulgarizan, glosan todo el saber que encuentran a su alcance. Estos clérigos, por recluidos que parezcan estar entre sus tapices de convento, están vueltos amorosamente en su alma hacia los otros, la enorme grey ignorante. Trabajan para ellos. Una vena de caridad desciende, envuelta en todo un caudal de pedantería, de los sabidores a los analfabetos. Se movilizan todos los recursos para que entren bien en las almas simples y adormecidas las lecciones. Todo enseña: el sermón en la iglesia, los fabularios con sus caudales morales, las alegorías con sus arabescos imaginativos. El pobre hombre, el que no sabe leer, tiene ante sus ojos unas enciclopedias prodigiosas: las catedrales góticas, la "Biblia del pueblo", como se les llamó. En las vidrieras, representadas con colorinescas escenas, en la gris estatuaria de las portadas, se aprende.

Cierto que desde allí no se enseña lo que hoy suele desgraciadamente monopolizar el sentido de la palabra enseñanza: datos, hechos, conocimientos útiles. Lo que la catedral, y en general la Edad Media, quiere enseñar al indocto es el saber mínimo, núcleo de la vida espiritual, de la doctrina de la Iglesia sobre el mundo y el hombre. Émile Mäle distingue la motivación de la literatura medieval de la de las letras de nuestros días, de esta manera: "Los siglos mayores de la Edad Media no conocían el amor propio literario, ni la vanidad de autor; estaba claro que una doctrina no pertenecía a aquel que la exponía, sino a la Iglesia. Entonces escribir un libro era, en cierto modo, practicar una de las obras de misericordia, enseñar al prójimo, por cualquier modo posible, la verdad".

Esta verdad, la Iglesia la posee, ella sola. Ella sola la enseña, desde la cátedra, desde el pergamino, el cristal pintado o la piedra tallada. Es la doctrina de la Iglesia verdad bastante para satisfacer toda la necesidad espiritual del hombre sobre la tierra. Su enseñar se ve limpio de vanidad esteticista, o de orgullo científico: todo él va a parar, derechamente o por rodeo, al aprovechamiento del saber para la vida; es un enseñar a vivir, un *ars vivendi*. Pero si nuestra vida terrenal es un tránsito hacia la muerte, si empezar a vivir es iniciarse en el morir, resultará que, en último término, adoctrinar sobre la vida es adoctrinar sobre la muerte, por la que se ingresa en la vida ultraterrenal de la salvación. El *ars vivendi* es, así, un *ars moriendi,* un arte de aprender a morir. En el siglo XV ya han cambiado mucho las cosas. Ya la sierpe literaria ha hecho comer la manzana de la gloria a muchos autores. Ya asoman los poetas y escritores que no se preocupan de aleccionar a sus prójimos; más bien de mover su admiración. No obstante, todavía el alto didactismo perdura y se aprestan las letras divinas a dar batalla a las nuevas y pujantes letras humanas, los ascetas a los renacentistas, la Magdalena a Amadís. Y en el *cuatrocientos* corren

por Europa unos tratados para enseñar a bien morir con
ese título de *Ars moriendi,* verdaderos manuales en donde
nada falta, ni las ideas generales sobre la muerte, ni las prevenciones sobre los peligros espirituales que cercan al hombre
a la hora de su tránsito, ni las instrucciones detalladas sobre
el mejor modo de contrarrestarlos y vencerlos. ¡Qué admirable *arte de morir* va elevándose, poco a poco, a modo de delicada esencia, de entre los versos de las *Coplas,* y llega al
final del poema, en la escena de la muerte del Maestre, a
soberbia evidencia representativa! Este hombre que va a morir es el ejemplo del que ha aprovechado la lección que se
nos dio antes en el poema, en formas ejemplares y senten-
ciosas. Se alza el Maestre, para que veamos, con nuestros ojos,
a través de la ficción de personificar en el poema a él y a la
Muerte, que los consejos y las máximas anteriores están ya
hechas carne en este moribundo; para que las veamos actua-
lizadas y vivas, en su eficacia salvadora. ¿Obras y no palabras?
No. Palabras, maravillosas palabras que vienen rodando por
las estrofas abajo, y que ahora se van a hacer obra, acto,
en la persona del Maestre. Antes de que el poema aspire a
cumplir su ejemplo en el lector, mejor dicho, como un medio más de que lo cumpla, queda ya allí cumplido, en el
Maestre: don Rodrigo parece ser como el primer convencido
por las sentencias y los casos que aduce su hijo, el primer
practicante de ese arte de morir. Esto es lo esencialmente
asombroso de las *Coplas,* como de todo gran poema: que *hace*
lo que *dice,* que sus palabras, por serlo en función poética, son
actos. Pero ya volveremos sobre eso. El caso es que la muerte
del caballero ocurre aquí al final del poema, para que así
se nos quede en la memoria, sobre las magníficas generaliza-
ciones sobre el mundo y lo mortal, la visión precisa, indele-
ble, de un hombre que supo morir bien, el modelo de la
buena muerte.

MUERTE DEL CABALLERO

En los *Loores* de Pérez de Guzmán se relatan con toda sencillez algunas muertes de poderosos que se ajustan a ese arte de bien morir. Don Fernando el Magno, después de hecha oración, en súplica del amparo divino:

> *Fecha esta petición*
> *e de los ojos llorando*
> *e las insignias dejando*
> *del reyno, e la unción*
> *rescebida e confesión*
> *según la ley de cristianos,*
> *dio el ánima en las manos*
> *del Señor, con devoción.*

La de Don Sancho el Deseado es menos detallada, pero da la misma impresión del final bien terminado:

> *A cincuenta años cumplidos*
> *e tres de su nascimiento,*
> *aviendo en buen regimiento*
> *los pueblos restituidos*
> *e los pobres mantenidos,*
> *dio su alma sin manzilla*
> *a Dios, dejando Castilla*
> *con lágrimas e gemidos.*

La más extensamente descrita, la más conmovedora, es la del rey don Fernando III el Santo. Cuando sabe que llega su fin obedece los mandatos de la Iglesia, cumple con los Sacramentos, y para recibirlos se alza del lecho:

> *una soga a la garganta,*
> *inclinado e humildoso.*

Su oración final es una restitución a Dios de todo lo que tenía sin merecerlo, y una súplica, impregnada de rendimiento y devoción:

> *Señor, desnudo nascí*
> *del vientre que me engendró,*
> *desnudo me torno a ti*
> *cual mi madre me parió.*
> *Solamente ruego yo,*
> *Señor, que la alma mía*
> *pongas en la compañía*
> *del pueblo que a ti sirvió.*

Jorge Manrique engrandece y profundiza este esquema de la muerte del varón cristiano, en términos magníficos. La importancia del morir se indica porque el poeta concede a la representación del fin del Maestre dentro de la composición de su poema el mismo número de estrofas que dio al epicedio. Ocho estrofas eran las dedicadas al elogio y exposición de la vida de don Rodrigo y ocho las que consagra al momento último, el del morir.

LA MUERTE A DESHORA Y LA MUERTE A SU HORA

La buena doctrina es que todos mueren cuando deben morir, según la inescrutable providencia de Dios; es, sin duda, la doctrina de Manrique. Sin embargo, en la estrofa veintiuna, la del infante don Alfonso, muerto, como se sabe, cuando era estrella de tantas esperanzas, en plena adolescencia, se siente un temblor de compasión y duelo:

> *¡Oh, juicio divinal,*
> *cuando más ardía el fuego*
> *echaste agua!*

Acátase el juicio de Dios—él sabría por qué lo hizo—, pero no deja de apreciarse, por la metáfora que ha ido a escoger el poeta, como una conciencia de lo prematuro, de lo a deshora que cayó la muerte sobre el príncipe galán. La vida queda incompleta, frustrada, y estos muertos suscitan particular dolor, lo que aprovechará muy bien toda poesía romántica.

"Señor", suplica Rainer Maria Rilke, "da a cada uno su propia muerte: el morir que brota de su vida, para que tenga amor, sentido y urgencia... La gran muerte que cada uno lleva en sí es el fruto en torno al cual gira todo. Porque lo que hace extraño y difícil el momento de morir es que no es *nuestra muerte*; una muerte que nos arrebata por fin porque no hemos madurado ninguna muerte en nosotros".

Ésa es la del Maestre, así quiere su hijo que la sintamos, la muerte *madurada*, allí donde sólo puede madurar una muerte, en la vida del individuo, en sus días y en sus obras. La estrofa 33 de las *Coplas* es funcionalmente, dentro del poema, un elemento de enlace: su papel es hacernos pasar de la vida del Maestre—resumida en los nueve primeros versos—a la llegada de la muerte, en los tres últimos. Pero enlace lo es, además, en su sentido espiritual: en ella se inicia la parte final del poema, es decir, se liga armoniosamente la vida con la muerte; porque viene el morir cuando debe venir, a su hora:

> *Después de puesta la vida*
> *tantas veces por su ley*
> *al tablero;*
> *después de tan bien servida*
> *la corona de su Rey*
> *verdadero;*
> *después de tanta hazaña*
> *a que no puede bastar*

cuenta cierta,
en la su villa de Ocaña
vino la muerte a llamar
a su puerta.

La estilística sirve aquí de valiosa corroboración. Manrique escogió para su poema una estrofa de doce versos compuesta de dos sextinas (esquema 8a, 8b, 4c; 8a, 8b, 4c; 8d, 8e, 4f, 8d, 8e, 4f). Atendiendo a la rima, la estrofa podría considerarse como compuesta de dos miembros, cada uno con tres rimas, esto es, 1, 2, 3, 4, 5, 6, y luego 7, 8, 9, 10, 11 y 12. Pero si se mira a la ocurrencia del pie quebrado, de tan sutil y delicado efecto, nos hallaríamos con cuatro unidades de tres versos, formadas por dos versos octosílabos y su pie quebrado, es decir: 1, 2 y 3; 4, 5 y 6; 7, 8 y 9; 10, 11 y 12. En la estrofa 34 emplea el poeta el recurso anafórico, con una profunda resultante significativa. Comienza cada una de las tres unidades primeras, donde se exponen resumidos los buenos hechos del Maestre, con el adverbio de tiempo *después*. Don Rodrigo, *después* de jugarse la vida muchas veces, *después* de servir fielmente a su rey, *después* de muchas hazañas, siente que se le acerca la muerte. ¿Cómo interpretar ese *después*?

Rosemarie Burkart, en su ensayo, de tan serio y elevado enfoque, *Leben, Tod und Jedenseits bei Manrique und Villon,* ve en esa sucesión de frases dominadas por el adverbio de tiempo como una serie de escalones, indicadores del desarrollo de la vida del caballero, y a cuyo alto final se aparece la muerte, que de este modo corona la vida. No hay duda que la consideración de la muerte como corona de la vida es idea capital del poema. Yo quisiera, sin embargo, completar la explicación del sentido de esa copla, dentro de la elegía. Esos *después* tienen, sin duda, significación cronológica, indican sucesión, posterioridad de acuerdo con el papel del adverbio este. Pero yo veo en su uso otra cosa: a más de la mención de *cuándo* llega la muerte, de lo puramente temporal, hay un *cómo* adviene al Maestre su fin. Los *después* los siento como sumandos, en la operación del ajuste final de cuentas, del balance vital del Maestre. Obsérvese que en cada frase se registra un mérito, y que en ellas se van sumando virtudes. Lo que importa no es el orden de sucederse de las cosas, sino la importancia y el valor de ellas. Al final de los nueve versos, ¿qué vemos? La plenitud de vida del Maestre, una existencia henchida de lo que todo varón eminente debe poner para cuando, después de lograda una madurez, de cabal cumplimiento de los deberes, se presenta la muerte. Con la vida madurada, cargada de valores, de suerte que el morir llega a su hora. Es la buena hora, no la inesperada, ni la prematura. Y por eso es la buena muerte. Para mí los adverbios apuntan tanto a una noción de *tiempo* como a una de *estado*. Ocurren las cosas como deben ocurrir, porque ocurren cuando deben ocurrir. Y así la muerte se allega sin sorpresa, en plena sazón, y proporcionando al Maestre soberbia oportunidad de *vivirse* en su muerte, de ser él, muriéndose, como lo fue viviendo. La última proeza del caballero es su morir. Así se interpretan vida y muerte, y el modo de morir es la última expresión del modo de vivir. Prefiero a la figura de la muerte corona de la vida, otra que sería el ver esa inseparabilidad de acto .de vida del caballero y hecho de su muerte, al igual de las aguas en la desembocadura de un río, en las que lo marino y lo fluvial, lo que fue y lo que va a ser están confundidos en un estado intermedio en que los dos participan. Porque morir, como dice Max Scheler, "es todavía, en una o en otra forma, una acción, un acto del ser viviente mismo". La persona halla en la muerte la última ocasión de afirmar su vida, con su peculiar acento. El acto de morir—conforme a Paul Landsberg—, "siempre singular, puede ser el acto más personal". En la boca del labriego castellano, se formularía de este modo: "Dime cómo mueres y te diré quién eres". Por eso ahora nos lleva Manri-

que a que asistamos al hecho mismo de la muerte de su
padre, porque aquí se nos dará toda la medida de su varonía.
La muerte, corona de la vida.

"En la su villa de Ocaña" va la muerte a sus vistas con
don Rodrigo. ¿Por qué misterioso mandato ha dejado caer el
poeta, sobre tanto magnífico ondular de conceptos universales,
esa gota de realidad española, ese nombre propio, Ocaña?
Henos aquí en el otro cabo de la generalización: "la mar, que
es el morir", donde todo es tan ancho, ilimitado y anónimo.
Ocaña: precisión, referencia nítida a un lugar del mundo,
entre todos, ese humilde poblachón castellano. ¿Es asomo
de realidad, es el zarandeado realismo español? ¿O es sólo
la obediencia inconsciente a esa ley de pertenencia de nuestra
vida cuando nace, de nuestra vida cuando muere, y por
mucho que se haya cernido en su altanería intelectual por
las infinitudes, a un punto finito de este mundo, a un palmo
de tierra? El epitafio, la más enjuta síntesis de la biografía,
nunca prescinde de dos fechas, ni nunca debe omitir dos
nombres: los del nacimiento y los de la muerte y sus lugares respectivos. Entre ellos se movieron las obras del ser
humano en el mundo. Ellos se limitan y a la vez le definen,
señalan su situación, le distinguen, aspiran a salvarlo del
"nunca" y del "sin donde". Lo enorme de la muerte, tema
de la elegía que se nos escapa, imposible de asir en su
enormidad, halla como una prodigiosa compensación en nuestra sensibilidad, por lo definido, lo palpable, del lugar en que
acaece. Cuando el nombre geográfico salta en el poema se
la siente ya viviendo, próxima a este sitio precisamente nombrado, se la siente que ella, la omnipresente, la viajera por
todos los mundos, va a pararse un momento en Ocaña, se la
siente que va a hablar. Estamos al borde de este milagroso
momento de oír la voz de la que viene "tan callando". Oiga-
mos su dicho.

LA MUERTE PIERDE EL SENTIDO

En su admirable libro *El otoño de la Edad Media*, aporta Huizinga abundantes testimonios interpretables como indicios de que la muerte ha perdido su sentido y se la mira por la humanidad empavorecida ni más ni menos que como a la enemiga del hombre, como la que *acaba* con su existencia. Es sólo caducidad, lo que cae y se derrumba. En esas quejas contra la muerte acusa Huizinga un espíritu enormemente materialista, representado en la literatura llamada macabra, que se empeña en suscitar en las almas, por los medios más efectistas y hasta groseros, el horror ante el cadáver y las apariencias de lo mortal, y por consiguiente el pavor ante la muerte. "No se trata del dolor por la pérdida de personas amadas, sino de deplorar la propia muerte que se acerca y sólo significa mal y espanto". La hora de la muerte, prevista en la imaginación, estremece con mil visiones horrorosas de la agonía. Parece como si el hombre ya no supiera morir. Y así entendemos la difusión de esos *artes moriendi*, los manuales del bien morir.

Todo ello representa un retroceso considerable en el estado espiritual de la humanidad. La muerte quita, roba, despoja, no trae más que su nada. Se le pone un signo negativo, se huye de ella, como quería huir el caballero de la Danza. Y eso, cuando la tradición de quince siglos, por lo menos, había estado afanándose por justificar la muerte, por encontrarle su sentido dentro de la vida superando la antinomia vida-muerte, en busca de una visión más alta, donde la vida se entienda con la muerte, mejor aún, se entienda precisamente por la muerte. En el siglo xv funcionan activamente las fuerzas desintegradoras del mundo medieval; aquella antigua construcción del pensar cristiano, integración de lo mortal en lo vital, heroicamente sostenida por la Edad Media, se agrieta. Acuden a la brecha los paladines, los caballeros de la fe, creyentes en el sentido superior de la muerte. Ninguno más noble y valeroso que el español Jorge Manrique, ninguno mejor asistido por el genio poético. Acertadamente le ve Luigi Sorrento como tipo del heroísmo cristiano, criatura movida por la acción y la fe, como serán, luego, Santa Teresa, don Quijote y Sigismunda.

LA MUERTE RECOBRA EL SENTIDO: LA JUSTIFICACIÓN DE LA MUERTE

En la literatura del tiempo se solía apelar a la personificación de la muerte, por obediencia al dominante prurito de la representación plástica de las ideas. Evocada en su imagen sensible, se la rodeaba de un aparato de pormenores que agitaran la sensibilidad con sacudidas violentas de terror. El propósito era la intimidación del ánimo, la imposición por el miedo del ejercicio de unas virtudes que ya no se practicaban por fe. Llega un instante en que Jorge Manrique tiene que pintarnos el último encuentro de su padre con un poder mayor que ninguno de los que tuvo que afrontar. Y cede a la tentación de abandonar el estilo narrativo y hacernos ver ese momento del morir, en figuración dramática. Habla la muerte

> diciendo: "*Buen caballero,*
> *dejad el mundo engañoso*
>   *con su halago;*
> *vuestro corazón de acero*
> *muestre su esfuerzo famoso*
>   *en este trago;*
> *y pues de vida y salud*
> *hicistes tan poca cuenta*
>   *por la fama,*
> *esfuérceos vuestra virtud*
> *para sufrir esta afrenta*
>   *que os llama.*

"No se os haga tan amarga
la batalla temerosa
   que esperáis,
pues otra vida más larga
de fama tan gloriosa
   acá dejáis:
aunque esta vida de honor
tampoco no es eternal
   ni verdadera,
mas con todo es muy mejor
que la otra corporal,
   perecedera.

"El vivir que es perdurable
no se gana con estados
   mundanales,
ni con vida delectable,
en que moran los pecados
   infernales;
mas los buenos religiosos
gánanlo con oraciones
   y con lloros;
los caballeros famosos,
con trabajos y aflicciones
   contra moros.

"Y pues vos, claro varón,
tanta sangre derramastes
   de paganos,
esperad el galardón
que en este mundo ganastes
   por las manos;
y con esta confianza
y con la fe tan entera
   que tenéis,

partid con esta esperanza,
que la otra vida tercera
ganaréis".

Creo a Miss Krause muy certera cuando apunta, al tratar
de este pasaje del poema, al *Diálogo y razonamiento de la
muerte del Marqués de Santillana,* escrito por su capellán
Pero Díaz de Toledo. Está dirigido al Conde de Alba y es
un tratadito en veintiún capítulos sobre la muerte, las áni-
mas, la amistad, la bienaventuranza y el perdón. Participa
del carácter de un *Arte de morir* y de una meditación consolatoria. En los diez primeros capítulos el Doctor sostiene
con el Marqués, ya conocedor de su próximo tránsito, unas
conversaciones en que le va preparando el ánimo a aceptar
la muerte "sin turbación, con tranquilidad y reposo". El capellán, no sin largas y prolijas disquisiciones sobre varios temas
relacionados con lo mortal, contesta diestramente a todas las
preguntas del atribulado moribundo, y le convence. El Marqués confiesa la fuerza persuasoria de su interlocutor; le dice
cómo ha serenado su ánimo "el dulce e suave e scientífico
razonar vuestro", y encomienda su alma a Dios, impetrando
su misericordia.

Pero apenas señalada la verosimilitud de que Jorge Manrique recordara al tener que descubrir la muerte de su padre
este *Diálogo,* y admitida la semejanza de frases con las *Coplas,* hay que señalar las diferencias, capitales, entre las
dos obras. El propósito en ambos escritores es acomodar al
hombre en trance de agonía con su destino; es enseñarle a bien
morir. Pero el encargado de esa lección en el *Diálogo* es un
erudito clérigo, que diserta con superabundancia de pedantería sobre toda clase de temas. Y el moribundo pregunta,
duda, repone, como un debate escolástico, sin prisa ni angustia. Es notoria la ausencia de toda vivacidad dramática, de
todo pálpito humano, en el bien titulado *razonamiento.*
Jorge Manrique llama, no a ningún capellán latinado, sino a

la muerte misma, a defender su causa; crea así, en lugar del tono de debate escolástico, una atmósfera solemne y sobrenatural del misterio. Y encara al hombre con la misma muerte, no con su idea, expuesta oratoriamente y con copioso apoyo de citas. En pocas estrofas logra con sencilla grandeza lo que cuesta diez capítulos a la prosa libresca del *Diálogo*. Y, más aún, no puede decirse que entre la muerte y el Maestre ocurra ningún dialogar. Ella exhorta al caballero a verla como es, le explica lo que le trae, le invita a acogerla dignamente, según corresponde a la dignidad de los demás actos de su vida, en un solo breve discurso. Y lo que luego dice el Maestre igual se puede tomar como respuesta a las exhortaciones de la muerte que como monólogo, enderezado a su propia conciencia.

¿Quiere el poeta que veamos a la muerte, que le demos forma, en nuestra imaginación, con los datos que él nos proporcione, de suerte que su imagen se nos quede siempre huella nítida de perfiles definidos, en el recuerdo? Sin duda, no. Porque la dramatización se limita a hacer hablar a la muerte y al Maestre, es puramente vocal, el mínimo dramático. La voz, sólo ella, está encargada de representar al tremendo personaje. Se personifica en cuanto habla ella, en primera persona, diciendo "aquí estoy", sólo con hablar, afirmando de ese modo su imperial presencia, pero no cobra rasgos de cuerpo o bulto material. Toda ella concentrada en el son de una voz. La escena así gana a la vez delicadeza y energía, ya que la voz está cargada con todo el mensaje de la figura. ¿Y para qué da voz, Manrique, a la muerte? Para que se justifique, para que ella sea su propia defensora, ante el hombre que va a morir. La muerte va a explicarse a sí misma, ante el caballero don Rodrigo y ante todos nosotros. Quiere luchar con ese pavor que casi todos le tenían, limpiar su mala fama, de modo que el Maestre la arrostre en su verdadera realidad. Por eso, mientras que en la mayoría de las personificaciones la muerte amedrenta y aterroriza, en esta de

Manrique lo que sube de sus palabras es una invitación a la serena fortaleza, a que el hombre, en lugar de encogerse, contraído por el susto, la mire y se mire como son. No se impone al desdichado ser humano una máscara miedosa, quiere que la entienda, que se entienda con él.

Por eso habla con el Maestre, porque hablando se entiende la gente. Se explica, desarrolla ante el caballero su justificación. Asistimos a un intento de recobrar el auténtico sentido de la muerte, medio olvidándose ya en el torbellino sensualista del siglo xv. Los estoicos habían intentado esta justificación situando a la muerte dentro del orden natural de las cosas, tan natural como el nacer. Para preparar a dominarla con el pensamiento. Esa especie de familiaridad interior la despojará de todo aspecto terrorífico. "Tu autem mortem ut nunquam timeas, semper cogita", dice Séneca. Pero eso no pasa de prepararnos para una actitud de bravura y decoro al tiempo de morir.

Es la religión cristiana la que cambiará por completo el sentido de la muerte. Al dar al hombre la fe en la otra vida, todo en esta vida se transforma. En cuanto se cree en la existencia de una vida futura "surge algo *cualitativamente nuevo*: y es que la apreciación práctica y terrenal de la vida desaparece" (Vossler).

Sólo en este suelo roqueño, en la firme fe del hombre de trascender de su condición mortal, puede asentarse el sentido afirmativo de la muerte, y pierde su carácter aterrador; al contrario, se vuelven las tornas, como expresa ya el Marqués de Santillana:

> *Pues di: ¿por qué temeremos*
> *esta muerte*
> *como sea buena suerte*
> *si creemos*
> *que, pasándola, seremos*
> *en reposo*

en el templo glorioso
que atendemos?

Jorge Manrique rechaza la tradición macabra y terrorífica de la muerte y se reafirma en la antiquísima tradición cristiana. Por eso, de sus *Coplas*, bien leídas, se eleva entre tantas deprecaciones del mundo y sus placeres, dentro de tanto escombro de imperios y de cortes, un canto velado de optimismo. Si se desvaloriza lo terrenal es para ofrecernos, en trueque, la valoración de lo supraterrenal, de la otra vida. Unas estrofas acongojan el espíritu con su rebajamiento del mundo, pero otras lo reaniman concediendo a este mundo su valor de campo de batalla donde ganarse el otro.

La muerte, para explicarse a sí misma, no tiene más remedio que explicar la vida: las dos se necesitan: sin vida no se puede morir, y eso parece una perogrullada; pero sin muerte no se puede vivir, y esto es la doctrina de Cristo. En tres magníficas estrofas la muerte, armada del aparato discursivo de la Edad Media y alzándose contra el desenfoque con que la veían los hombres del siglo xv, acude a poner las cosas en su punto, a cada cual en su lugar. Dialéctica sutil, escruta la vida y descubre en su supuesta unidad tres modos de vivirla, los cuales, como ha explicado sagazmente la señorita Burkart, se hallan presentes a lo largo de la elegía.

Es la primera la vida del común de las gentes, la que a todos se da y la que perece con el hombre, más temporal que ninguna. Sobre ella hay otra, asimismo afincada en lo terrenal y súbdita del tiempo; pero ésta es mucho más larga que la anterior, porque sobrevive a la vida primera, ordinaria y corriente, y cuando el hombre muere ella queda, vuelta fama y gloria, de suerte que perviva en el recuerdo. Esta segunda vida es la gran tentadora, la sirena que canta a los oídos del guerrero, del estadista, del poeta, prometiéndole que ella, la nombradía póstuma, prolongará su existencia sin término, más allá de la vida mundanal. Américo Castro, en un breve pero sustancioso e iluminador ensayo, ha señalado la importancia de ese concepto, en cuanto que da a los actos del hombre en la tierra una norma, un incentivo. "Vida de honor", la llama Manrique. El mundo es una ocasión que se le ofrece al hombre para hacer algo más que esperar pasivamente su paso a la otra vida, a la eterna. Es un espoleo al vivir noble, a los hechos limpios y esforzados que tendrá por premio la honra, el buen nombre dejado a los que vengan. Manrique es fiel a su idea de la estrofa sexta: usar bien del mundo. Cabe en el vivir terreno una medida de grandeza, y a ella debe aspirar el varón noble. Sin duda, el poeta cree en esta vida de honor—él mismo la practicó, y en ella murió—y por eso se dilata complacidamente en la exposición panegírica de los actos de su padre. No fueron vanos, no se han perdido, no. Ahí quedan laureando profusamente su persona. Pero donde el poeta castellano se aparta, a mi juicio, del Renacimiento, es en la estimación cabal de esos laureles. Honrosos y admirables como son, no los tiene por inmarcesibles. El bien de la gloria es terrenal, y al serlo escapará, tarde o temprano, con todo, y como todo, lo demás. La muerte, en su discurso, valora debidamente esa segunda vida de la fama. Como anticipándose sabiamente a cualquier conato de orgullo, la muerte arrebata todas las ilusiones de perduración al que estuviera propenso a embarcarse en ellas, como si fuesen la derrota más segura hacia la eternidad. Sin rodeos la califica de fugaz ("no es eternal") y de mentirosa ("ni verdadera"). La reforzada negación no deja paso alguno al engaño.

Manrique no podía desertar de esa actitud medieval, que aceptó tan enteramente y a la que sirvió como pocos en sus *Coplas*. Es la de Boecio cuando escribió en el metro séptimo del libro segundo de la *Consolación*, refiriéndose a la "gloria vana":

> Así que estos relatados
> cuya vida es fallecida
> con su gloria
> yacen muertos, sepultados,
> sin poder ser conocida
> su memoria;
> pues si pensáis alargar
> vuestra vida, que es un viento
> no durante,
> otra muerte ha de llevar
> sin ningún detenimiento
> lo restante.

Esa "otra muerte" se podría denominar la segunda muerte, y es la que corresponde a la segunda vida, a la de la fama.

Petrarca, ya vimos cómo, vivió angustiosamente, en su *Secreto*, la pugna entre la sed de gloria y la verdad eterna que reaparece en el Triunfo del tiempo. Ese legado sigue descendiendo por los últimos siglos de la Edad Media, y en el siglo xv se afirma en Pérez de Guzmán, en Santillana —no obstante sus escarceos renacentistas—, en Gómez Manrique. Cuando Juan de Lucena en su *Vida beata*, dedicado a Enrique IV, habla de la fama, dice a lo Boecio: "Quánt breve sea la difusión del nombre que tanto tú grandifaces, quánt angusta y transitoria su fama, fácilmente si me oyes te lo enseño... Este siglo do alojamos ni lo creas tan largo ni tan luengo ser lo pienses que te pienses dilatar mucho la fama, ni que dure para siempre te lo creas... ¿Quánto estimas que puede durar este vuelo? Tanto y no más, al más más, quanto el mundo durare y no sin fin como crees".

Otro alcance tienen los trabajos heroicos del caballero: es ganarse con ellos el solo vivir perdurable, el del más allá, único verdadero, que se logra por la oración en el monje, por la pelea en el guerrero, según ya había formulado Pérez de Guzmán:

> *Morir el buen religioso*
> *en ayunos e cilicios,*
> *el varón caballeroso*
> *morir haciendo servicios.*

Se eleva en estas tres coplas ante nuestra conciencia otra de esas construcciones jerárquicas de la Edad Media, simple y grandiosa ordenación de valoraciones. Todo está en su sitio: cada una de las tres vidas sirve de sustento a la superior: en la común y elemental se da al hombre terreno para la segunda, la de las buenas obras, que a su vez le granjeará el acceso a la tercera, la eterna.

He aquí por qué la muerte se presenta con tanta dignidad ante el Maestre: es el ingreso al vivir tercero y supremo. *Mors, janua vitae.* Está plenamente justificada, porque se ofrece, ella, la aparentemente todopoderosa, como servidora del propósito del único Todopoderoso, que es hacer vivir. Por ella se accede a la inmortalidad. No se olvide que esta palabra, inmortalidad, es simbólica, en su composición: lleva la muerte dentro, en su centro, pero la lleva prisionera entre un prefijo y un sufijo, de suerte que en vez de ser como cuando andaba sola y suelta, autora de daños, es ya, ahormada a la voluntad de Dios, palabra nueva, lazarillo del hombre hacia su definitivo bien. La finalidad suasoria del discurso de la muerte se cumple por completo. El Maestre queda convencido, y por eso habla como habla en la estrofa que sigue. Responde el Maestre:

> *"No gastemos tiempo ya*
> *en esta vida mezquina*
> *por tal modo,*
> *que mi voluntad está*
> *conforme con la divina*
> *para todo;*
> *y consiento en mi morir*

con voluntad placentera,
    clara y pura,
que querer hombre vivir
cuando Dios quiere que muera
    es locura".

ORACIÓN

Tú que por nuestra maldad
tomaste forma servil
    y bajo nombre;
tú que en tu divinidad
juntaste cosa tan vil
    como el hombre;
tú que tan grandes tormentos
sufriste sin resistencia
    en tu persona,
no por mis merecimientos,
mas por tu santa clemencia
    me perdona.

EL MORIR CONFORME

Pocas palabras tiene que decir. No quiere perder más tiempo
en esta vida. Su voluntad se ajusta enteramente a la de
Dios. Los calificativos que pone a su aceptación de la muerte,
"placentera, clara y pura", denotan que su actitud es algo
más que la simple resignación. Pasividad activa, por decirlo
así. Conformidad, entrega de la pobre voluntad humana a
la gran voluntad divina. El que quiera vivir cuando Dios
no quiere sería un loco. Dos maestros de poesía de Jorge
Manrique habían sabido ya cristalizar esa idea en términos
muy semejantes. Santillana, cuando la fortuna le amenaza
con la muerte, dice que él hará

...lo que fizieron
muchos otros: recebirla
con paciencia;
sin punto de resistencia,
e eso deszir, pedirla.

. . . .

Mas sea muy bien venida
tal señora;
ca quien su vecina llora,
poco sabe desta vida.

Y Gómez Manrique, al final de su poesía consolatoria a la condesa de Castro, acuña en dos versos la doctrina de la conformidad:

E vos conformadvos con el facedor
e vuestro querer con lo que él quisiere.

La muerte ya no habla más; su voz se apaga y al callarse se vuelve invisible. Don Rodrigo deja también de hablar a la ministra del Señor—suponiendo que a ella se dirigiera—, para enderezar sus palabras al Señor mismo en una breve plegaria que, de acuerdo con el patrón retórico, tal como lo usó Fernán Pérez de Guzmán, ofrece la vida al Creador y solicita su perdón. Queda aquí terminada la sobria pero imponente dramatización. La estrofa terminal vuelve a lo narrativo.

TRÁNSITO DEL HOMBRE

CABO

Así, con tal entender,
todos sentidos humanos
conservados,

cercado de su mujer,
y de sus hijos y hermanos
y criados,
dio el alma a quien se la dio
(el cual la ponga en el cielo
de su gloria).
Y aunque la vida murió,
nos dejó harto consuelo
su memoria.

En seis versos la escena de morir es expuesta con sencillo realismo, con total humildad de dicción. Don Rodrigo, sin perder el sentido, en su lecho; alrededor suyo, también designados en su debido orden, su esposa, sus hijos, sus hermanos y sus criados. El hombre en el centro de su mundo más cercano y allende, de su casa, de su hogar. Nunca se siente al Maestre más humano que ahora. Desvestido de aquellos pomposos arreos de virtudes con que se le enriqueció en el panegírico, muere como todos, como un hombre más, ceñido de miradas angustiosas y llantos sofocados.

Profunda significación de este retorno del varón excelso a su simple carácter de hombre. La tesis del poema es la mortalidad y su argumento esencial el menosprecio de los bienes del mundo. La elegía despliega a perfección las varias fases de lo mortal.

Primero, en las estrofas iniciales, la muerte abstracta; de seguida el desengaño de todos los poderes y placeres de este mundo descubriéndonos su condición de mortales; luego la muerte hecha muertos, encarnizándose con unos cuantos grandes hombres. Y por fin, el muerto, don Rodrigo; pero este muerto a su vez va pasando por una especie de purificación. Si empieza el poeta por pintarlo en el ápice de las perfecciones, modelo de todas las virtudes, como un hombre descomunal por su grandeza, luego, desde que lo sitúa en la realidad de su villa de Ocaña, don Rodrigo va dejando caer todas las pretensiones prendidas en la falsa vida de la fama y acaba por mostrársenos, en el instante de su muerte, común y no descomunal, desnudo y sin tesoros, solo con su alma. Don Rodrigo realiza lo que la elegía dice. ¿No son las *Coplas* una invitación a desdeñar las vanidades postizas, a contraerse a la pura virtud del alma, pensativa en su fin? Pues así en el Maestre se encarna ese proceso de despojo y de purificación. Su vida y su muerte condensan el curso de la elegía, en ellas se humanizan los conceptos; y tan efectivo es el arte poético de Manrique que sentimos al Maestre crecer en magnitud humana, en significación ejemplar, a medida que se van olvidando los elogios retóricos y abstractos del episodio, a medida que se van olvidando los elogios retóricos y abstractos del episodio, a medida que se va volviendo más pobre en falsas grandezas. Cuanto menos tiene más es. En su contestación a la muerte, en su sereno tránsito se revela más grande, más que nunca merecedor del verso de Mallarmé:

> *Tel, qu'enfin, en lui même, l'Éternité le change.*

Ha estudiado Monsieur Italo Siciliano, con gran copia de autoridades de las letras francesas y latinas, los temas poéticos de la Edad Media, en su libro sobre Villon. Y dice, al referirse a la muerte: "Aunque la Edad Media mostró inquebrantable fe en la vida de ultratumba y predicó la miseria de esta vida, nunca concibió la muerte como una liberación, como una tregua a los males y desdichas de los humanos. Nunca supo captar en el rostro del moribundo esa solemne calma y esa paz suprema que anuncian la salida hacia el gran misterio". Permítasenos alegar las *Coplas* como una gloriosa excepción a ese "nunca", que tan tajantemente formuló el señor Siciliano, olvidando, en ese momento de formularlo, una de las poesías más célebres de la lírica universal.

ELEGÍA Y SERMÓN

¿Puede caber ahora duda alguna sobre la unidad absoluta de las *Coplas*? ¿Son una poesía a un muerto, una elegía o una meditación sobre la mortalidad, un sermón? Leídas a lo hondo se evidencia su verdadero ser: poesía a la mortalidad y poesía a un hombre mortal. Una muerte, la de don Rodrigo, bien puede representar a todas las muertes. Lo que la voz misteriosa dice tan claramente al Maestre, todos lo oímos, y se le da la lección, delante de nuestras almas conmovidas, para que nos la aprendamos también. No se podrán entender a fondo las *Coplas*, mientras se vea en ellas como dos elementos separados lo genérico humano y lo humano individual, "nuestras vidas" y la del Maestre. El equilibrio con que los lleva adelante por toda la elegía el poeta, su fusión, triunfo último del poema, son su clave. La vida del Maestre, referida por su hijo, exaltada en las coplas panegíricas al nivel de los grandes varones, individualizan a don Rodrigo, afirman su humanidad, rasgo a rasgo. Y luego, cuando, después de haberlo historiado, se le presenta en su última hazaña—dar la cara a la muerte—, se acusa, se realza lo inalienable y único de su persona: es *un* hombre, don Rodrigo Manrique, que muere en su villa de Ocaña, entre sus hijos, su mujer, sus guerreros. Pero para remediar toda posible inclinación a considerar al Maestre así aislado, como un hombre y no más, para atajar todo exceso de individualización, ahí está el resto de la elegía, envolviendo al hombre de carne y hueso en maravillosos anillos concéntricos, cada vez más amplios y generales, de pensamientos y meditaciones sobre lo humano innumerable e indiferenciado, sobre el mar de la humanidad. Esta muerte de este hombre, tan vívidamente representada, desemboca en el mar de todos los hombres muertos, y allí se borran los contornos del individuo, rendidos a la grandeza abrumadora de los sin nombre, sin persona, hasta que llegue el día de la resurrección. Don Rodrigo es uno, en la elegía, pero retorna a los muchos. Por encumbrado que sea un varón, y él lo fue, la lección de humildad cristiana de las *Coplas* le ordena que se una a la gran multitud constante, a la humanidad desaparecida, a "la gran mayoría", que dijo el latino.

El caballero muere en paz; en paz acaba la elegía, en honda y serena paz. Paces de la vida con la muerte, paces de lo individual con lo universal, paces de lo temporal con lo eterno. El final de don Rodrigo es, y debía ser, el final del poema en nuestro ánimo para dechado de nuestros actos y pacificación de nuestra alma.

POESÍA, ¿DICHO O HECHO?

Ha corrido mucho la anécdota del pintor Degas y Mallarmé. Degas quiere hacer una poesía, un soneto, y consulta sus dificultades a Mallarmé. "¿Pero cómo es que teniendo una idea tan buena el soneto no me sale?" Y Mallarmé aclara cariñosamente: "Pero, mi buen Degas, la poesía no se hace con ideas". Lo cual está muy bien; siempre que no empuje a pensar que la poesía se hace sin ideas. Más tarde I. A. Richards y tras él unos cuantos críticos de la nueva escuela tomaron como banderín esta frase: "Lo que importa en una poesía no es nunca lo que *dice*, sino lo que *es*". Actitud de manifiesta reacción contra el principio de que "la grandeza poética consiste esencialmente en la noble y profunda aplicación de las ideas a la vida", enunciada por Matthew Arnold. Hoy día miramos la creación poética como una operación total, inclusive de todas las potencias psíquicas del individuo; el poeta se pone en su poema con todo lo que lleva dentro de sí y al entrarse en las galerías por donde busca el poema no se deja fuera ninguna capacidad de su alma. Cuando Wordsworth, en el prefacio a la segunda edición de las *Lyrical ballads*, da su célebre definición de la poesía como "el rebosar espontáneo de intensos sentimientos", tiene que corregir en seguida este exclusivismo emocional, afirmando que esos influjos de sentimiento han de ir modificados y dirigidos por nuestras ideas. Y afirmaciones como la de F. C. Prescott en su *Poetry and myth*, de que la esencia de la poesía la constituyen "pensamientos-sentimientos" (*a thought-feeling*) son precarias tentativas de demostrar lo que no necesita demostración; esa entereza con que el ser humano se emplea en el poema. El juego de las diversas facultades psíquicas, su intervención proporcional en la elaboración del poema es misteriosamente variable, pero ninguna puede quedar ausente o inhibida en el empeño conjunto del alma. "La participación de la inteligencia en la obra de creación literaria es esencialmente subordinada, aunque esta función subordinada pueda ser mucho más importante en unos autores que en otros", dice Middleton Murry en su libro sobre la psicología del estilo. La idea para operar en el poeta, *poéticamente*, no sólo *intelectualmente*, debe subordinar el puro pensar al poetizar, ponerlo a su servicio en un proceso como el que el Dante transcribió al final del Canto XVIII del Purgatorio:

> *Poi quando fur da noi tanto divise*
> *quell'ombre che veder più non potersi,*
> *nuovo pensiero dentro a me si mise,*
> *del qual più altri nacquero e diversi,*
> *e tanto d'uno in altro vaneggiai,*
> *che gli occhi per veghezza ricopersi,*
> *e il pensamento in sogno trasmutai.*

El pensamiento, como hecho mental puro, se trasmuta en sueño, realidad espiritual de otro grado, que es la que sirve de material al poema. Pero el poema no nacería si ese pensamiento se quedara así en situación soñada; su fin es crear con él una forma, el nuevo poema, en el cual quedarán objetivadas en una completa unidad, que funde a todas y las hace indiscernibles en sus variedades primeras, las diversas etapas del hacer poético.

Sin duda, distinguir entre lo que el poema dice y lo que hace es siempre útil para aclaración de nuestro entendimiento, pero hay que prevenirse contra el peligro de creer que una poesía no dice nada, no tiene que decir nada, y que puede escribirse algo poéticamente, algo significante, sin que diga nada. Porque el poeta existe sólo a través de un decir. Se juega la vida en las palabras, que fatalmente—y no obstante los desesperados esfuerzos superrealistas—dicen algo, y aun mucho, apenas se formulan. En la Edad Media poema era sinónimo de *decir*. Lo cierto es que una poesía perfecta dice y hace: hace lo que dice. Se conforma al refrán español, "dicho y hecho". Lo dicho es su contexto psíquico, lo hecho la forma nueva, el nuevo *objeto*. Cuando Campoamor coge una idea, la mete entre dos versos malos y se la brinda al lector, acaso dice algo, acaso mucho, pero hace poco o nada; el poema no *es*. Da, en muchos casos—y muy convencido de que no es así, y de que él está en lo cierto (véase su *Poética*)—, gato por liebre, aforismos morales por poesías. En cambio, cuando por los mismos años Bécquer torna y retorna, en su conocido poema, al verbo "volver", ese "volverán" insistente va labrando poco a poco, por su acierto en ir y venir, la delicada estructura del poema logrado su propósito de hacernos sentir que, entre tanto volver, hay algo que no volverá.

Así nos explicamos la perfección de las *Coplas*. Manrique tiene ante su conciencia la "moral filosofía", el repertorio de pensamientos que la tradición cristiana le propone a todas horas. Vejamen del mundo, veleidad de la fortuna, poder de la muerte, ligereza del tiempo; y las transporta al poema. Pero es para ponerlas en acción, asignándoles sus papeles activos en el drama. Se mueven a lo largo de las estrofas, se entran sin piedad por la Corte, arrasando alegrías, derrumban las grandezas y humillan al más poderoso; así van *haciendo* la elegía. Este poema que quiere desengañarnos de lo temporal, consiste, de estrofa en estrofa, en un lento progresar del desengaño. ¡Y cómo duele a veces! Cuando el poeta llega a las estrofas de la corte, a desilusionarnos sobre tantas gracias y placeres del vivir, la verdad le cuesta muy· cara. Porque en el fondo de esa invitación al desapego de los cuerpos hermosos, de las danzas y los juegos, se delata el apego que Manrique les tuvo. Entre las deliciosas figuraciones que sacrifica a nuestros ojos, en el ara de la "moral filosofía", los galanes, los trovadores, las músicas, la imaginación, le reconoce. Él también fue sacrificado, y aquí canta, en velada y pudorosa sordina, una elegía menos, a su propio placer de ayer. La vivencia poética triunfa sobre el ejemplo moral. Es éste un caso de sublimación del pensamiento moral en la realidad formal poética. El poeta asiste en estos versos, con todo su sentir pensándose, con todo su pensar sintiéndose, en una acción entera del alma que nos satisface totalmente. Y cuando llega a don Rodrigo, y el hijo nos refiere su vida y nos eleva un instante a la consideración admirativa de sus hazañas, es para que en seguida acuda la muerte a desengañarnos, a él y a nosotros, del parvo valor de estas proezas frente a los bienes eternos. Le quita a don Rodrigo las esperanzas que hubiere podido poner en su fama terrena para sobrevivirse; y le trae, en su otra mano descarnada, la esperanza final en la ultravida. Le arrebata lo menos, le da lo más. Triunfa, y ésa era la intención del poema, el bien eterno, sobre la ficción temporal de los bienes. Triunfa allí, en ese campo final de lid, el alma agónica del Maestre. Y don Rodrigo acepta la derrota de su grandeza en la temporalidad, desecha orgullos, armaduras guerreras y mantos históricos, y se ofrece, desnudo y humilde, al único poder verdadero, rompiente de eternidad. Los dichos de Jorge Manrique se nos dan hechos en la muerte de su padre.

También en el desarrollo tonal del poema vemos ese *formarse* de la idea. Amanece la elegía con un esplendor de grandes conceptos llenando nuestro ánimo de nítidas claridades, de majestad sobrecogedora. Continúa, en las altas zonas del lenguaje sentencioso y redondo. Accede al pasaje de la mayor hermosura plástica, cuando se puebla de vocablos y visiones de irresistible hechicería sensual. Aun en el panegírico, la enunciación paralela de grandes hombres y grandes virtudes mantiene esa elevación tonal, ahora en altura puramente retórica. Pero, conforme nos aproximamos a la escena clave, a la hora de la verdad, el mismo poema se va quitando galas; su tono se vuelve más hondamente sencillo en la dramatización, hasta que llega a un verdadero alarde de simplicidad, en la estrofa de cabo. El poema impone a su misma carne ese ejercicio de ascetismo espiritual que nos aconseja: parece que se desengaña, a su término, de las vanidades retóricas, y se despoja adrede de las postizas hermosuras y las gracias prendidas. Ellas, también, vistas desde los versos postreros del poema, se nos antojan "verduras de las eras" o "rocíos de los prados".

Pero el mayor *hacer* del poema consiste en la conversión milagrosa del tema de la mortalidad en su contrario. Estas *Coplas* a la muerte son en verdad una poesía a la vida. Después de llevarnos de desengaño en desengaño, por su geométrico laberinto pensativo, nos deja en el umbral de la máxima esperanza, la inmortalidad.

En la elegía, las coplas están ensartadas como las cuentas en el rosario; todas palpables, perceptibles, en su individualidad—porque a todas tiene que sentirlas el que reza, una a una—, pero todas cargadas con la misión de ir guiando poco a poco los dedos, o el alma, hasta el final de la oración. Los pensamientos no acaban cuando son simplemente entendidos; cada uno va a colocarse, por designio del poeta, en su lugar debido, en su sitio dentro de la estructura total y allí cobran una significación ultralógica, puramente poética. Son los dóciles materiales con que el poeta erige las formas del poema, lo va haciendo, delante de nuestros ojos asombrados, que ven a la "moral filosofía", a las densas máximas, perder su peso como los sillares de la catedral, cuando entran a ser ya sólo parte de la vasta construcción espiritual con ellos labrada; y que cuando se remate dará a cada elemento que la compone un sentido nuevo. Por eso no es, rigurosamente, poema filosófico; como todo gran poema es poema poético, porque en él lo que nos importa no es que se fabriquen con sillería de pensamientos, sino que la fábrica resulte en adición al mundo de las formas, al arte, de una nueva forma, poema, perfecta.

Poesía son, poesía anagógica, de salvación. En un tiempo en que los poetas que cantan lo mortal se entregan con mórbida complacencia a las desesperaciones y a las angustias descuellan las *Coplas* por su firme decisión de no rendirse al terror cuando se aviste la muerte. De señorearla por la ascensión de la simple experiencia de la muerte a pensamiento, y del pensamiento a poesía. Y en vez de huirla alocadamente como las figuras de las representaciones pictóricas, mirarla hasta lo más hondo y descubrir la verdad, de sus mismos labios: que es la única puerta a la única vida.

TRADICIÓN, HECHO Y DICHO

Y ahora podemos volver a la tradición, verla más claro. No es otra cosa que lo que las obras poéticas del pasado—las *hechuras*, o poemas hechos por muchos poetas—están diciéndole al poeta nuevo. La tradición nunca calla; desde innúmeras bocas sale su coral, profundo y lento, dirigido siempre por la misma voluntad de continuarse, de no morir. Muchos oídos se distraen y no la oyen por oírse a sí mismos; se creen que se lo saben todo. Pero ella sabe más porque está compuesta de la legión de los que supieron hacer, mientras que nosotros no pasamos de ser los que queremos hacer. Como ha dicho soberbiamente T. S. Eliot, si nosotros sabemos más que los antiguos es porque nos los sabemos a ellos. El poeta puede tomar sin reparo lo que desee de la tradición, entre todos sus dichos; en el caso de Manrique, que todo es fugaz, que la fortuna encumbra y abate, que la muerte siega silenciosamente las dichas terrenas de los hombres. La originalidad está en el nuevo *hecho.* Si el poeta no va más allá de volver a decir los dichos de antes, sin hacer algo con ellos, no llegará al poema. Los que creen a las *Coplas* empañadas en su radiante originalidad porque cada verso arraiga un pensamiento ya dicho, son los que se figuran que un poema es sólo lo que dice. En ese caso Manrique no haría bulto de gran poeta, puesto que lo dicho en su elegía ha sido dicho múltiples veces.

Es vano señalar las coincidencias suyas con otros en la formulación de una idea, en la adopción de un esquema estilístico, desde la Biblia al siglo XV, si con eso se insinúa merma del valor de novedad del poema. Es, en cambio, iluminador, si se aprende en esas analogías y semejanzas que el genio del poeta se reveló precisamente por lo valeroso, por arrojarse a lo más esforzado, por seguir como alma noble que era la línea de mayor resistencia, y entrándose en la frondosidad de lo dicho, de lo conocido, de lo cantado, sin miedo a no encontrar la salida de entre tanta abundancia, aparecer trayendo en sus manos el nuevo *hecho,* el gran poema original.

LA TRADICIÓN Y EL "MODUS OPERANDI" MANRIQUEÑO

En efecto, por tres luces se guía Manrique para sacar sus *Coplas* de la tradición. Primero, la capacidad integradora. Escoge el enfoque más ancho y comprensivo del tema—lo mortal y lo inmortal—, un círculo de experiencia humana de radio tan largo que dentro de él cabe todo y abarca todos los grandes tópicos del pensar medieval, tiempo, fortuna, muerte, menosprecio. De esta potencia inclusiva del poema emana esa impresión de densidad de pensamiento, de riqueza de referencias, de plenitud humana, porque en las cuarenta coplas está la vida entera presente, en sus esencialidades.

Su larga norma es la selección. Su siglo le propone dos tradiciones de la visión de la muerte. A un lado la macabra, la truculenta y empavorecedora versión de nuestra mortalidad distinguida por el materialismo interpretativo y la abundancia de los detalles plásticos; insiste en los aspectos más efectistas, la agonía, el cadáver, la descomposición de la carne, o los disimula sarcásticamente bajo la siniestra sensualidad de la Danza. No la quiere Manrique por dos razones, probablemente: por fácilmente espectacular, y por superficial. Su designio es llegar al fondo del alma, y no quedarse en estas sacudidas melodramáticas con que escalofría lo macabro. A otro lado estaba la tradición cristiana pura; es la que recoge Manrique y con su luz alumbra desde el principio al cabo todo el poema y va derrotando las sombras que él mismo evoca en su camino. Muy deslumbrante es esa luminaria encendida por la fe, y sin embargo aún percibimos dentro de su vivísimo foco un haz de rayos serenos, que tienen su luz propia, aunque la hayan sumado gustosos a la luz mayor: es el estoicismo, la actitud senequista. Manrique se atiene a lo más noble de la veta pagana, y a lo cristiano, y en lo que quiere se nos hace tan claro como la luz. Tampoco se rinde a otra tentación, con la que se encontraron todos los poetas de sus días, los maestros y amigos suyos, Santillana, Mena, Gómez Manrique, el alegorismo a la italiana. Presente está esa tendencia, pero reducida a su forma más sobria, no ya alegorización sino dramatización, en el diálogo del Maestre y la muerte. Pero desecha el aparato de teatralidad, la hinchazón de tono, los plañidos retóricos, la fingida grandeza, aquella falsía esteticista, más superficial aún que la forma macabra, de ella nacida.

Su tercer criterio directivo es la animación o vivificación

de las formas tradicionales que trae a su poema. Ya se hizo notar cómo el esquema estilístico del *ubi sunt* había venido a reducirse a una especie de mecanismo, cajita de música funeral, de rollo invariable y sonsonete previsto. Por los medios que se apuntaron al tratar de esta parte del poema, Manrique sacó del *ubi sunt* una melodía de líneas tan puras y patéticas que marca una de las cimas del poema. Es la infusión de un alma en un cuerpo abandonado, es la animación, la resurrección de las palabras inánimes, por el soplo genial del nuevo poeta.

También se aludió en lugar oportuno a la movilidad que comunica a los grandes lugares comunes, muerte, tiempo, fortuna, que convierte en personajes espirituales de su elegía. Por lo general los poetas los soltaban como pétreas masas, envueltos en un polvo de adjetivos consagrados, y permanecían inertes en el lugar de la poesía donde cayeron. Manrique los mantiene en continuo y misterioso actuar, y se les siente entre los versos, vivos; a veces sutiles, mudos, como un aire colado, y otras tremantes, amenazadores, un rumor heráldico de terremoto, que amenaza la precaria seguridad del suelo terrenal en que confían nuestros pies. Todos en concorde movimiento, impulsando a los hombres que pasan por el poema, y al poema mismo, hacia su fin.

Ése fue su modo de aceptar la tradición, de someterse al mandato de los que hicieron poesía de la muerte, antes que él. Todo tradición, sí, son las *Coplas*; y todas novedad. "El arte poético del siglo xv parece seguir viviendo casi sin ningún contenido nuevo. Reina una general impotencia para descubrir algo nuevo... Se ha producido un colapso del pensamiento. El espíritu ha puesto la última piedra a las grandes construcciones medievales y titubea agotado. Se desespera del mundo. Todo declina. Una intensa depresión pesa sobre el ánimo de los poetas". Así traza Huizinga el cuadro de la situación poética en Francia y los Países Bajos. ¿Será necesario señalar la originalidad de Jorge Manrique, erguido como arcángel lidiador, sobre este fondo sombrío, en la mano el puro acero de sus *Coplas?* También desespera del mundo, pero, de la hondura de la desesperación, surge como del agua oscura de la taza de la fuente un hilo derecho y cristalino, igualmente lanzado hacia el cielo. También él mira a su alrededor, y su mirada alcanza a los confines de todos los horizontes, desde el de la Corte—cuando los ojos se le empañan de lágrimas—hasta el de la antigüedad, y ve lo que todos, indicios de mortalidad, señas del vacío de los bienes terrenales. Pero, sin rendirse al descorazonamiento, mira más y más, y por fin penetra, al otro lado de tanto escorial y de tamañas ruinas, en la visión de la plenitud celeste. En él el pensamiento poético ni cae ni declina. Las *Coplas*, graves y delicadas, a semejanza de todo lo gótico, se ven por encima de toda la poesía del siglo XV, como los chapiteles más afinados y seguros que en el paisaje aborrascado abren camino de pura poesía, hacia el cielo limpio, que está detrás de las nubes.

NUESTRA SEÑORA DE LA CONSOLACIÓN
(ADIÓS A LA ELEGÍA)

Consuelo, memoria, son las dos últimas palabras sustantivas de las *Coplas.* Allí permanecen, flotando sobre la elegía que se pone, como estarían en lo alto de la entreluz crepuscular dos puras nubes solitarias que por su sola presencia llenasen de sentido el celaje de la tarde:

> *dejónos harto consuelo*
> *su memoria.*

Consolación, idea que mana en las alturas de griegos y romanos, y le abre luego cauce la cristiana Edad Media, por lo que afluye sin pausa. Hasta se inventa un pequeño género poético, el poema consolatorio latino cristiano, la *consolatio*. Severino Boecio, gran rector del pensar medieval, lo preside por siglos y siglos, alzando en su mano, como cetro de su señorío, su volumen consolatorio, la *Consolación de la filosofía*. Y así, el siglo xv está transido de letras consolatorias, prosa y verso: Villena, Santillana, Manrique. ¿Qué cosa es la vida—nos lleva a preguntarnos esa cadena de escritores confortatorios—que así necesita el hombre consolarse de la vida?

Las *Coplas* son el gran poema consolatorio de la lírica española. Cuando expiran las palabras postreras de la elegía, en un último aliento, tan sereno y tan conforme como el del Maestre, el soplo de esos dos vocablos—consuelo, memoria—persiste, agitando delicadamente las capas del alma, como viento que ya pasó, y cuyos rizos aún quedan en la faz del agua. ¿No será siempre y dondequiera, la poesía, consuelo, magia consolatoria, por excelencia? Consolación que nos tiende, muda, en sus manos esa figura veladora siempre, la memoria. La fugacidad de toda cosa, uno de los grandes temas de la elegía de Manrique, es—¡y desde cuántos siglos antes!—el tema de la gran elegía del hombre en la tierra. De tantas quejas salidas a labios humanos, ésta de que todo pasa es noble entre todas: queja patricia, pertenece a la más antigua generación de los lamentos.

Pero he aquí a la memoria, que lleva mucho poder, que detiene a las cosas, las para; y he aquí al poema, criado suyo, a su pecho, su gran criado, en la faena de retener lo fugitivo. Un poema es algo que quiere no pasar. Una resistencia a pasar, que toma hechura de palabras, forma de lenguaje. Cuando la poesía previene su arsenal, apresta sus ritmos, repasa sus metros, y manda formar a las rimas, es que está preparando facilidades a la memoria, forjándose áncoras que sujeten los poemas al fondo del tiempo. El poema es recuerdo; estuvo siempre en nosotros, hasta ese día en que se sale de nuestro propio olvido. Apenas palabrado lo siente el que lo inventó como recuerdo, decible, aprehensible, de aquel misterioso tem-

blor que era antes de nacer. Y cada lector, en su lectura, recuerda al poema, que se está, tendido en el blanco olvido de
la página, esperando que lo recuerden. Patética criatura del
sentimiento agónico, entre todos los lenguajes, el lenguaje de
la poesía. Su milagro es velarnos, entre las formas más ligeras
y graciosas a veces, la angustiosa ansiedad por no morir que
le palpita dentro. Más cuesta quedarse en la memoria con
catorce renglones de prosa que con un soneto. Y de las redes
calculadas y firmes de la forma poética se escapan las alas
del tiempo menos rápidas que del párrafo del prosador. La
argucia de la métrica, clásica o libre, antigua o moderna, no
es primor de artesanía, gratuito trovar, lúdico capricho: es arte
de mejor recordar, y por eso camino de salvación. Aparentemente todo eso de los acentos, de las rimas y los pies medidos,
y las sílabas contadas, es mecanismo, formas mecanizadas; en
verdad, cabos que echa el poeta desde la orilla del tiempo para
que no se las lleve el caudal tan pronto a las invenciones de
su alma, que quiere poner a salvo. Un poema, por muy pobre
de calidad que sea, dura siempre un punto más allá que la
experiencia que recoge, y que ya fue, ya transcurrió, ya es
pasado, cuando el poema empieza a decirse, a ser presente.
Jorge Guillén ha escrito:

> *Sufro. La memoria es pena.*

Pero los poetas siguen estrechados a su memoria, o a su
pena, y otro gran lírico castellano, Garcilaso, iguala el dolorido sentir con la existencia misma del alma que lo siente:

> *No me podrán quitar el dolorido*
> *sentir, si ya del todo*
> *primero no me quitan el sentido.*

Hay que vivirse en la memoria, aunque sea pena, porque
la pena *es*, cuando ya lo demás cesó de ser, ha sido. Siglos

más adelante un delicado temperamento poético femenino
planteará el dilema, resolviendo conforme a su terneza de
mujer, entre las dos parejas contrarias: dolor-recuerdo, vida-
olvido:

> _Better by far you forget and smile_
> _than that you should remember and be sad._

La amante, la mujer, puede sacrificarse. Pero el poeta, no.
Manrique se abraza a su dolorido sentir, y allí da con su
recompensa. Porque las _Coplas_ acaban con la más extraña
sorpresa espiritual. Apenas se abre el poema, el poeta asevera
con grandiosa melancolía, a lo Miguel Ángel, a lo Durero,
que el placer, todo placer, "después de acordado / da dolor".
Y he aquí que ahora, al rematarse las cuarenta estrofas, el
recuerdo del dolor, de la pena de la muerte, del dolor de
tantas muertes, _no da dolor_. La memoria del sufrir nos deja
con otro sentimiento, hijo del dolor, pero ya otro. Es el consuelo, la misma templada serenidad que la memoria del tránsito del Maestre dejó a su hijo. Todo es dolor, pero ya nada
da dolor. Las _Coplas_ han dicho su última palabra; el poema
ya ha _hecho_ su cometido. Ya está hecho, ante nosotros para
siempre, como lo está el hombre de cuerpo y alma, de memoria y consuelo.

ÍNDICE ALFABÉTICO